CEDU(쎄듀)는 A **C**omprehensive **E**nglish e**DU**cation(종합적 영어교육)의 약자입니다.

저자

김기훈   現 ㈜ 쎄듀 대표이사
           現 메가스터디 영어영역 대표강사
           前 서울특별시 교육청 외국어 교육정책자문위원회 위원

저서   천일문 / 천일문 Training Book / 초등코치 천일문
           천일문 GRAMMAR / 왓츠 Grammar / 패턴으로 말하는 초등 필수 영단어
           Oh! My Grammar / Oh! My Speaking / Oh! My Phonics
           EGU 〈영단어&품사 · 문장 형식 · 동사 · 문법 · 구문〉 / 어휘끝 / 어법끝 / 거침없이 Writing / 쓰작
           리딩 플랫폼 / 리딩 릴레이 / Grammar Q / Reading Q / Listening Q 등

쎄듀 영어교육연구센터
쎄듀 영어교육센터는 영어 콘텐츠에 대한 전문지식과 경험을 바탕으로
최고의 교육 콘텐츠를 만들고자 최선의 노력을 다하는 전문가 집단입니다.

장혜승 선임연구원 **·** **조연재** 연구원 **·** **김지원** 연구원

마케팅   콘텐츠 마케팅 사업본부
영업   문병구
제작   정승호
인디자인 편집   올댓에디팅
디자인   쎄듀 디자인팀
일러스트   전병준, 연두, 김청희
영문교열   Stephen Daniel White

What's Reading

Words

80 **B**

영어 독해력, 왜 필요한가요?

대부분 유아나 초등 시기에 처음 접하는 영어 읽기는 영어 동화책 중심입니다.
아이들이 영어에 친숙해지게 하고, 흥미를 가지게 하려면 재미있는 동화나 짧은 이야기,
즉 '픽션' 위주의 읽기로 접근하는 것이 좋은 방법이기 때문입니다.

그러나 학년이 높아짐에 따라 각종 시험에 출제되는 거의 대부분의 지문은 **유익한 정보나 지식,
교훈 등을 주거나, 핵심 주제를 파악하여 글쓴이의 관점을 이해하는 것이 필요한 '논픽션' 류**입니다.
초등 영어 교육 과정 또한 실용 영어 중심이다 보니, 이러한 다양한 지문을 많이 접하고 그 지문을 이해하는
능력을 기를 수 있는 기회가 사실 많지는 않습니다.

하지만 수능 영어의 경우, 실용 영어부터 기초 학술문까지 다양한 분야의 글이 제시되므로, **사회과학, 자연과학,
문학과 예술 등 다양한 소재에 대한 배경지식을 기르는 것이 매우 중요**하며, 지문을 읽고 핵심 주제와 글의 흐름을
파악해 문제를 풀 수 있는 능력, 즉 영어 독해력이 요구됩니다.

<왓츠 리딩> 시리즈는 아이들이 영어 읽기에 대한 흥미를 계속 유지하면서도, 논픽션 읽기에 자신감을 얻을 수
있도록, 챕터별로 **픽션과 논픽션의 비율을 50:50으로 구성**하였습니다. 각 챕터를 하나의 공통된 주제를 기반으로
한 지문 4개로 구성하여, **다양한 교과과정의 주제별 배경지식과 주요 단어**를 지문 내에서 자연스럽게 습득할 수
있도록 했습니다.

🔍 환경 관련 주제의 초등 ▸ 중등 ▸ 고등 지문 차이 살펴보기

같은 주제의 지문이라 하더라도, 픽션과 논픽션은 글의 흐름과 구조가 다르고, 사용되는 어휘가 다를 수 있습니다.
또한, 어휘의 난이도, 구문의 복잡성, 내용의 추상성 등에 따라 독해 지문의 난도는 크게 차이가 날 수 있습니다.

초등 초6 'ㅊ' 영어 교과서 지문 (단어 수 83)

> The earth is sick. The weather is getting warmer. The water is getting worse.
> We should save energy and water. We should recycle things, too.
> What can we do? Here are some ways.
> · Turn off the lights.
> · Don't use the elevators. Use the stairs.
> · Take a short shower.
> · Don't use too much water. Use a cup.
> · Recycle cans, bottles and paper.
> · Don't use a paper cup or a plastic bag.
> Our small hands can save the earth!

초등 교과 과정에서는
필수 단어 **약 800개**
학습을 권장하고 있습니다.

Today I'm going to talk about three plastic bottles. They all started together in a store. But their lives were completely different.

A man came and bought the first bottle. After he drank the juice, he threw the bottle in a trash can. A truck took the bottle to a garbage dump. The bottle was with other smelly trash there. The bottle stayed on the trash mountain for a very long time. (중략)

A little boy bought the third bottle. The boy put the empty bottle in a recycling bin. A truck took the bottle to a plastic company. The bottle became a pen. A man bought it and he gave it to his daughter. Now it is her favorite pen!

What are you going to do with your empty bottles? Recycle! The bottles and the world will thank you for recycling.

> **중등** 교과 과정에서는 **약 1,400**개의 단어를 익혀야 합니다.

22. 다음 글의 요지로 가장 적절한 것은?

Environmental hazards include biological, physical, and chemical ones, along with the human behaviors that promote or allow exposure. Some environmental contaminants are difficult to avoid (the breathing of polluted air, the drinking of chemically contaminated public drinking water, noise in open public spaces); in these circumstances, exposure is largely involuntary. Reduction or elimination of these factors may require societal action, such as public awareness and public health measures. In many countries, the fact that some environmental hazards are difficult to avoid at the individual level is felt to be more morally egregious than those hazards that can be avoided. Having no choice but to drink water contaminated with very high levels of arsenic, or being forced to passively breathe in tobacco smoke in restaurants, outrages people more than the personal choice of whether an individual smokes tobacco. These factors are important when one considers how change (risk reduction) happens.

* contaminate 오염시키다 ** egregious 매우 나쁜

> **수능 영어** 지문을 해석하려면 기본적으로 **약 3,300개**의 단어 학습이 필요합니다.

① 개인이 피하기 어려운 유해 환경 요인에 대해서는 사회적 대응이 필요하다.
② 환경오염으로 인한 피해자들에게 적절한 보상을 하는 것이 바람직하다.
③ 다수의 건강을 해치는 행위에 대해 도덕적 비난 이상의 조치가 요구된다.
④ 환경오염 문제를 해결하기 위해서는 사후 대응보다 예방이 중요하다.
⑤ 대기오염 문제는 인접 국가들과의 긴밀한 협력을 통해 해결할 수 있다.

왓츠 리딩 학습법

영어 독해력, 어떻게 키울 수 있나요?

<왓츠 리딩>으로 이렇게 공부해요!

STEP **주제별 핵심 단어 학습하기**

- 글을 읽기 전에 주제와 관련된 단어들의 의미를 미리 학습하면 처음 보는 글의 내용을 보다 쉽게 이해할 수 있습니다. 주제별 핵심 단어들의 의미를 확인하고, QR코드로 원어민의 생생한 발음을 반복해서 듣고 따라 읽어보세요.

- <왓츠 리딩> 시리즈를 학습하고 나면, 주제별 핵심 단어 약 1,040개를 포함하여, 총 2,000여개의 단어를 완벽하게 익힐 수 있습니다.

STEP **다양한 종류의 글감 접하기**

- 교과서나 여러 시험에서 다양한 구조로 전개되는 논픽션 류가 등장하기 때문에, 읽기에 대한 흥미를 불러일으키는 픽션 외에도 정보를 전달하는 논픽션을 바탕으로 한 다양한 종류의 글감을 접해야 합니다.

- <왓츠 리딩> 시리즈는 챕터별로 픽션과 논픽션의 비중을 50:50으로 구성하여, 두 가지 유형의 글 읽기를 위한 체계적인 학습이 가능합니다. 설명문뿐만 아니라 전기문, 편지글, 일기, 레시피, 창작 이야기 등 다양한 유형의 글감을 통해 풍부한 읽기 경험을 쌓아 보세요.

STEP **지문을 잘 이해했는지 문제로 확인하기**

- 독해는 글을 읽으며 글의 목적, 중심 생각, 세부 내용 등을 파악하는 과정입니다. 하나를 읽더라도 정확하게 문장을 해석하면서 문장과 문장 간의 연결을 이해하는 것이 중요해요. 이러한 독해 습관은 모든 학습의 기초인 문해력도 동시에 향상시킬 수 있습니다.

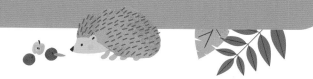

 STEP 4 지문 구조 분석 훈련하기

● 올바른 이해는 글을 읽고 내용을 이해하는 것을 넘어 '나'의 사고를 확장하며 그 내용을 응용하는 것까지 이어져야 합니다. 따라서 글의 내용을 파악하는 문제 외에도 글의 구조를 분석하고 요약문으로 이해한 내용을 정리하는 활동을 통해 '내' 지식으로 만들어 보세요.

STEP 5 직독직해 훈련하기

● 직독직해란 영어를 적절하게 '끊어서 읽는 것'으로, 영어 어순에 맞게 문장을 읽어 나가는 것을 뜻합니다. 직독직해 연습을 통해 빠르고 정확하게 문장을 해석하는 방법을 익힘으로써 독해력을 키울 수 있습니다.

영어는 우리말과 어순이 다르기 때문에 이러한 훈련이 해석하는 데 큰 도움이 됩니다. 영어 어순에 맞춰 문장을 이해하다보면 복잡한 문장도 더 쉽게 이해할 수 있습니다.

직독직해 훈련의 시작은 기본적으로 주어와 동사를 찾아내는 것부터 할 수 있습니다. 해설에 실린 지문별 끊어 읽기를 보고, 직독직해 연습지를 통해 혼자서도 연습해보세요.

✎ 끊어서 읽기

토끼는 ~을 자랑스러워했다 /   그의 새 코트.   어느 날, / 그는 개구리를 보았다.
¹A rabbit was proud of / his new coat. ²One day, / he saw a frog.

그 개구리는 잃었다 / 자신의 집을.   토끼는 잘라 냈다   /   그의 코트 한 조각을. 그는 만들었다 /
³The frog lost / his home. ⁴The rabbit cut out / a piece of his coat. ⁵He made /

  새 집을   / 그 개구리를 위해. 그 코트는 새것이 아니었다   /   더 이상.   하지만 토끼는
a new home / for the frog. ⁶The coat was not new / any more. ⁷But the rabbit

행복했다.
was happy.

STEP 6 꾸준하게 복습하기

● 배운 내용을 새로운 문장과 문맥에서 다시 복습하는 것이 중요합니다.
제공되는 워크북, 단어 암기장, 그리고 다양한 부가 학습 자료를 활용하여, 그동안 배운 내용을 다시 떠올리며 복습해 보세요.

구성과 특징 Components

★ **<왓츠 리딩> 시리즈는 다음과 같이 구성되어 있습니다.**

<왓츠 리딩> 시리즈는 총 8권으로 구성되었습니다.

	70A / 70B	80A / 80B	90A / 90B	100A / 100B
단어 수 (Words)	60-80	70-90	80-110	90-120
*Lexile 지수	200-400L	300-500L	400-600L	500-700L

*Lexile(렉사일) 지수 미국 교육 연구 기관 MetaMetrics에서 개발한 영어 읽기 지수로, 개인의 영어독서 능력과 수준에 맞는 도서를 읽을 수 있도록 개발된 독서능력 평가지수입니다. 미국에서 가장 공신력 있는 지수로 활용되고 있습니다.

- 한 챕터 안에서 하나의 공통된 주제를 중심으로 다양한 교과과정을 학습할 수 있습니다.
- 익숙한 일상생활 소재뿐만 아니라, 풍부한 읽기 경험이 되도록 여러 글감을 바탕으로 지문을 구성했습니다.
- 주제별 배경지식 및 주요 단어를 지문 안에서 자연스럽게 익힐 수 있습니다.
- 체계적인 독해 학습을 위한 단계별 문항을 제시하며, 다양한 활동을 통해 글의 구조에 대한 이해도를 높일 수 있습니다.

주제 확인하기

하나의 주제를 기반으로 한 4개의 지문을 제공합니다. 어떤 영역의 지문이 등장하는지 한눈에 확인할 수 있습니다.

지문 소개 글 읽기

- 학습자의 흥미를 유발하고, 글에 대한 배경지식을 활성화시켜줍니다.

지문 속 핵심 단어 확인하기

- 지문에 등장하는 핵심 단어를 확인합니다. 각 단어의 의미를 이해하면 읽기에 더 집중할 수 있습니다.

- QR코드를 통해 핵심 단어의 원어민 발음을 들을 수 있습니다.

01 A Happy Day

Bob **did** everything the **same**, every day. He woke up at 7:00. He made toast for five minutes. Then he **cleaned** the house and **watered** his plants after that. He thought, "I did everything. Nothing terrible will **happen** today."

One morning, Bob's friend, Jake, called him. He said, "Bob! Help me! I **lost** my dog!" Bob went and helped him all day. They found Jake's dog! Bob was happy because he helped a friend. He thought, "I **forgot** everything today. But nothing terrible happened!"

** 주요 단어와 표현

everything 모든 것 every day 매일
minute 시간 단위의 분 plant 식물
terrible 심각한 call: called 전화하다
find: found 찾다, 발견하다

14 왕초 리딩 80 ®

03 A Happy Couple

A young couple wanted to be happy **forever**. They **traveled** around and looked for the happiest couple.

They **met** a **rich** couple. They asked, "Are you the happiest couple?" The rich couple said, "No, because we have no children."

The young couple met a couple with many children. They asked ⓐ the same **question**. The answer was, "No, because we have too many children."

The couple met a **poor** family. The family didn't have **enough** food. But they looked _____(A)_____. The young couple asked, "Why are you happy?" The father answered, "I have my family. What else do you need?"

** 주요 단어와 표현

couple 부부 young 젊은 around 이리저리 look for: looked for) ~을 찾다 the happiest 가장 행복한 child 자식, 아이 *children 자식들, 아이들 answer: answered) 대답: 대답하다 too 너무 ~한 look: looked) ~에 보이다
else 그 밖에 need 필요하다

22 왕초 리딩 80 ®

유익하고 흥미로운 지문

● 다양한 종류의 글감으로 구성된 픽션과 논픽션 지문을 수록하였습니다.

독해력 Up 팁 하나

글을 읽기 전, 글의 내용과 관련된 사진이나 삽화를 보면서 내용을 미리 짐작해 보세요. 추측하면서 읽는 활동은 내용 파악에 도움이 됩니다.

● 핵심 단어 외에 지문에 등장하는 주요 단어와 표현을 확인할 수 있어요.

독해력 Up 팁 둘

모르는 단어가 있더라도 지문을 읽어본 다음, 그 단어의 의미를 추측해 보세요. 문장과 함께 단어의 의미를 학습하면 기억에 오래 남게 됩니다.

03 A Happy Couple

A young couple wanted to be happy fore~ traveled around and looked for the happiest couple.

They **met a rich** couple. They asked, "Are you the happiest couple?" The rich couple said, "No, because we have no children."

● QR코드를 통해 지문과 단어의 MP3 파일을 들을 수 있습니다.

독해력 Up 팁 셋

음원을 듣고 따라 읽으면서 복습해 보세요. 영어 독해에 대한 두려움은 줄고, 자신감을 쌓을 수 있어요.

구성과 특징 Components

독해 실력을 길러주는 단계별 문항 Step 1, 2, 3

Step 1 **Check Up**

- 지문을 읽고 나서 내용을 잘 이해했는지 확인해 보세요.

- 중심 생각과 세부 내용을 확인하는 다양한 유형의 문제를 풀면서 독해력의 기본기를 탄탄하게 쌓을 수 있어요.

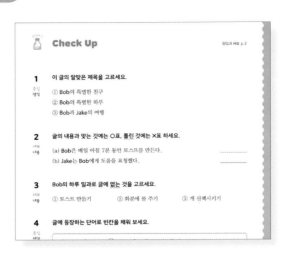

Step 2 **Build Up**

글의 내용을 분류하고, 비교하고, 분석하면서 글의 구조를 정리해 보세요. 글의 순서, 원인-결과, 질문-대답 등 여러 리딩 스킬 학습을 통해 다양한 각도로 글을 이해할 수 있습니다.

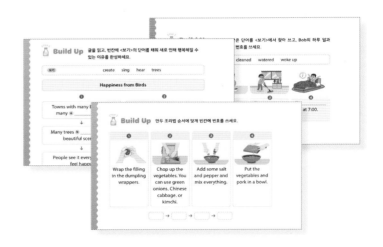

Step 3 **Sum Up**

빈칸 채우기, 시간 순 정리 활동으로 글의 요약문을 완성해 보세요. 글의 흐름을 다시 한번 복습하면서 학습을 마무리할 수 있습니다.

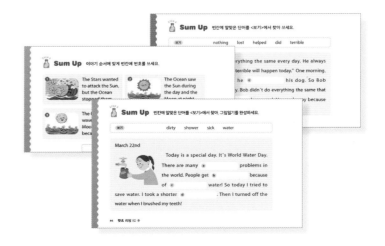

지문 속 단어 정리 및 복습

지문에 등장한 단어와 표현을 복습해요.
삽화를 통한 의미 확인, 연결 짓기, 추가 예문을 통해
단어의 의미를 한 번 더 정리합니다.

독해 학습을 완성하는 **책속책과 별책 부록**

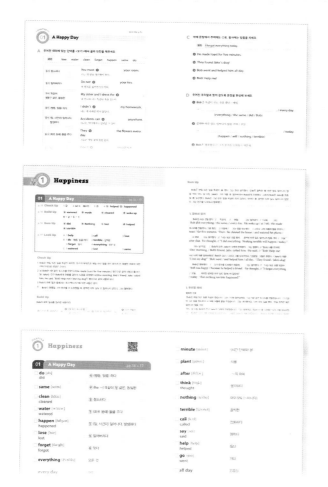

WORKBOOK

- 지문에 등장했던 핵심 단어와 표현을 확인할 수 있어요.

- 주어, 동사 찾기 연습과 단어 배열 연습 문제로 영작 연습하면서 지문 내용을 복습할 수 있습니다.

자세한 해설 및 해석 제공

- 정답의 이유를 알려주는 문제 해설, 영어의 어순으로 빠르게 해석할 수 있는 방법을 보여 주는 직독직해를 확인해 보세요.

- 혼자서 해석하기 어려운 문장을 설명해주는 문장 분석하기 코너를 활용해 보세요.

단어 암기장

- 지문에 등장했던 모든 단어와 표현을 확인할 수 있어요.

- QR코드를 통해 단어 MP3 파일을 듣고 단어 의미를 복습하면서 어휘력을 기를 수 있어요.

무료 부가서비스
www.cedubook.com

1. 단어 리스트   2. 단어 테스트   3. 직독직해 연습지
4. 영작 연습지   5. 받아쓰기 연습지   6. MP3 파일 (단어, 지문)

목차 Contents

Happiness

LITERATURE 01

'징크스'란 어떤 행동을 하지 않으면
불길한 일이 벌어진다는 믿음을 의미해요.
자신의 징크스를 우연히 깬 남자의
이야기를 읽어볼까요?

A Happy Day

do (- did)	동 (행동, 일을) 하다
same	부 (the ~) 똑같이 형 같은, 동일한
clean (- cleaned)	동 청소하다
water (- watered)	동 (화초 등에) 물을 주다
happen (- happened)	동 (일, 사건이) 일어나다, 발생하다
lose (- lost)	동 잃어버리다
forget (- forgot)	동 잊다

WORLD 02

3월 20일은 세계 행복의 날이에요. 사람들이
자신의 삶 속에서 행복의 중요성을 깨닫게 하기
위해 만들어진 날이지요. 여러분은 세계에서
행복한 나라가 어디인지 알고 있나요?

A Happy Country

ask (- asked)	동 묻다, 질문하다
money	명 돈
often	부 자주, 종종
top	명 맨 위, 꼭대기
half	명 반, 절반 *half of ~의 반
many	대 많은 사람, 다수 형 많은, 다수의 *many of ~중 많은 사람, 다수

VOCA

LITERATURE

03

A Happy Couple

forever	부 영원히
travel (- traveled)	동 (먼 곳을) 여행하다
meet (- met)	동 만나다
rich	형 돈 많은, 부유한
question	명 질문
poor	형 가난한
enough	형 충분한, 필요한 만큼의

행복은 기쁨과 즐거움으로 만족한 상태를
의미해요. 친구들과 같이 있을 때, 선물을
받거나 시험을 잘 봤을 때 등 사람마다
행복을 느끼는 기준은 다르답니다.

NATURE

04

A Happy Town

team	명 (일을 함께 하는) 팀
study (- studied)	동 1. 연구하다 2. 공부하다
town	명 (소)도시, 마을
beautiful	형 아름다운
beautifully	부 아름답게
grow (- grew)	동 1. ~해지다, ~하게 되다 2. 자라다, 크다

우리를 행복하게 해주는 것들은 생각보다
주변에서 쉽게 찾아 볼 수 있어요.
어떤 연구 조사에 따르면, 행복은 자연과
관련이 있다고 해요.

A Happy Day

Bob **did** everything the **same**, every day. He woke up at 7:00. He made toast for five minutes. Then he **cleaned** the house and **watered** his plants after that. He thought, "I did everything. Nothing terrible will **happen** today."

One morning, Bob's friend, Jake, called him. He said, "Bob! Help me! I **lost** my dog!" Bob went and helped him all day. They found Jake's dog! Bob was happy because he helped a friend. He thought, "I **forgot** everything today. But nothing terrible happened!"

●● **주요 단어와 표현**

everything 모든 것   every day 매일   wake up(- woke up) 일어나다   make(- made) 만들다   toast 토스트, 구운 빵
minute (시간 단위의) 분   plant 식물   after ~의 뒤에   think(- thought) 생각하다   nothing 아무것도 (~아니다)
terrible 끔찍한   call(- called) 전화하다   say(- said) 말하다   help(- helped) 돕다   go(- went) 가다   all day 온종일
find(- found) 찾다, 발견하다

Check Up

정답과 해설 p.2

1 이 글의 알맞은 제목을 고르세요.

중심
생각

① Bob의 특별한 친구

② Bob의 특별한 하루

③ Bob과 Jake의 여행

2 글의 내용과 맞는 것에는 ○표, 틀린 것에는 ✕표 하세요.

세부
내용

(a) Bob은 매일 아침 7분 동안 토스트를 만든다. _____

(b) Jake는 Bob에게 도움을 요청했다. _____

3 Bob의 하루 일과로 글에 <u>없는</u> 것을 고르세요.

세부
내용

① 토스트 만들기   ② 화분에 물 주기   ③ 개 산책시키기

4 글에 등장하는 단어로 빈칸을 채워 보세요.

중심
생각

When Bob _____ⓐ_____ his friend all day, nothing terrible _____ⓑ_____, and he was happy.

ⓐ: _____   ⓑ: _____

STEP 2 Build Up

빈칸에 알맞은 단어를 <보기>에서 찾아 쓰고, Bob의 하루 일과 순서에 맞게 번호를 쓰세요.

보기   made   cleaned   watered   woke up

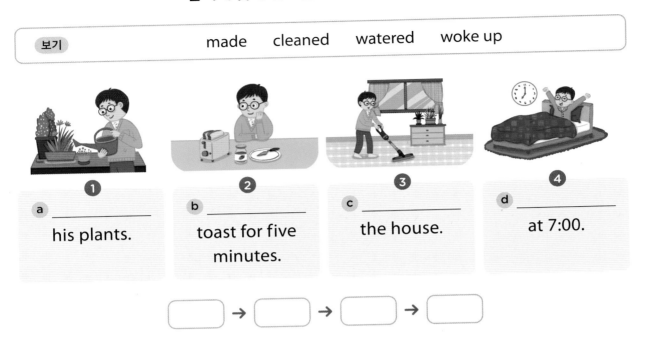

a _____ his plants.

b _____ toast for five minutes.

c _____ the house.

d _____ at 7:00.

☐ → ☐ → ☐ → ☐

STEP 3 Sum Up

빈칸에 알맞은 단어를 <보기>에서 찾아 쓰세요.

보기   nothing   lost   helped   did   terrible

Bob a _____ everything the same every day. He always thought, " b _____ terrible will happen today." One morning, Jake called Bob because he c _____ his dog. So Bob d _____ Jake all day. Bob didn't do everything the same that day. But nothing e _____ happened. He was happy because he helped a friend.

Look Up

A 아래 그림에 알맞은 단어를 고르세요.

❶

☐ help
☐ wake up

❷

☐ call
☐ clean

❸

☐ find
☐ lose

B 주어진 단어의 알맞은 우리말 뜻을 찾아 연결하세요.

❶ do   •   • 잊다

❷ terrible   •   • 모든 것

❸ forget   •   • (행동, 일을) 하다

❹ everything   •   • 끔찍한

C 우리말 해석에 맞도록 <보기>에서 알맞은 단어를 골라 빈칸에 쓰세요.

보기	lost	same	watered

❶ 할머니는 정원에 물을 주셨다.

  → My grandmother _____ the garden.

❷ 나는 기차표를 잃어버렸다.

  → I _____ my train ticket.

❸ 그 쌍둥이는 언제나 똑같이 옷을 입는다.

  → The twins always dress the _____ .

02 A Happy Country

A company makes the World Happiness Report every year. The report shows a list of happy countries. The researchers **ask** around 150 countries about happiness. They also look at **money**, freedom, and donations.

Finland is **often** at the **top** of the list. The country is not the richest in Northern Europe. But about **half of** people in Finland donate often. **Many of** them also do volunteer work. After all, you can't buy _____(A)_____ with money. And Finland shows it.

●● **주요 단어와 표현**

company 회사   happiness 행복   report 보고서   show 보여 주다   list 목록   researcher 연구원   around 약, 대략
about ~에 대하여; 약, 대략   also 또한   freedom 자유   donation 기부 *donate 기부하다   the richest 가장 부유한
Northern Europe 북유럽   volunteer work 자원봉사 활동   after all 결국   buy 사다, 구매하다

Check Up

정답과 해설 p.4

1 이 글은 무엇에 대해 설명하는 내용인가요?

중심 생각

① 행복 보고서의 장단점

② 행복한 나라의 특징

③ 핀란드 사람들의 기부 문화

2 글의 내용과 맞는 것에는 ○표, 틀린 것에는 ✕표 하세요.

세부 내용

(a) 한 회사는 2년 마다 세계 행복 보고서를 만든다. _____

(b) 연구원들은 약 150개국의 행복을 조사한다. _____

3 핀란드에 대해 글의 내용과 틀린 것을 고르세요.

세부 내용

① 행복한 나라들 중 하나이다.

② 북유럽에서 가장 부유한 나라이다.

③ 국민의 절반 정도가 자주 기부한다.

4 글의 빈칸 (A)에 들어갈 말로 가장 알맞은 것을 고르세요.

빈칸 추론

① freedom   ② donation   ③ happiness

5 글에 등장하는 단어로 빈칸을 채워 보세요.

중심 생각

> Finland is often at the _____ⓐ_____ of the list of _____ⓑ_____ countries.

ⓐ: _____   ⓑ: _____

Build Up

글을 읽고, 빈칸에 <보기>의 단어를 채워 세계 행복 보고서를 완성하세요.

보기	volunteer	richest	top	half

The World Happiness Report

Country	Finland	Population *인구	about 5,548,361
Happiness	- often at the (a) _____ of the list of happy countries		
Money	- not the (b) _____ country in Northern Europe		
Freedom	- a safe country with no war - a free country		
Donations	- About (c) _____ of people donate. - Many people do (d) _____ work.		

Sum Up

빈칸에 알맞은 단어를 <보기>에서 찾아 쓰세요.

보기	freedom	money	do	happy	ask

The World Happiness Report shows a list of (a) _____ countries. The researchers (b) _____ many countries about happiness. They look at money, (c) _____ , and donations. Finland is often at the top of the list. Many people in Finland donate and (d) _____ volunteer work. Finland shows one thing: We can't buy happiness with (e) _____ .

Look Up

A 아래 그림에 알맞은 단어를 고르세요.

① ☐ show
☐ ask

② ☐ money
☐ top

③  ☐ buy
☐ donate

B 주어진 단어의 알맞은 우리말 뜻을 찾아 연결하세요.

① half ·   · 약, 대략

② around ·   · 자유

③ freedom ·   · 반, 절반

④ happiness ·   · 행복

C 우리말 해석에 맞도록 <보기>에서 알맞은 단어를 골라 빈칸에 쓰세요.

보기	money	many	often

① 그는 신발에 많은 돈을 쓴다.

→ He spends much _____ on his shoes.

② 나는 가족과 자주 캠핑을 간다.

→ I _____ go camping with my family.

③ 내 친구들 중 다수는 요리하는 것을 좋아한다.

→ _____ of my friends like to cook.

 # A Happy Couple

A young couple wanted to be happy **forever**. They **traveled** around and looked for the happiest couple.

They **met** a **rich** couple. They asked, "Are you the happiest couple?" The rich couple said, "No, because we have no children."

The young couple met a couple with many children. They asked ⓐ the same **question**. The answer was, "No, because we have too many children."

The couple met a **poor** family. The family didn't have **enough** food. But they looked _____(A)_____. The young couple asked, "Why are you happy?" The father answered, "I have my family. What else do you need?"

●● **주요 단어와 표현**

couple 부부   young 젊은   around 여기저기   look for(- looked for) ~을 찾다   the happiest 가장 행복한   child 자식, 아이 *children 자식들, 아이들   answer(- answered) 대답; 대답하다   too 너무 ~한   look(- looked) ~해 보이다   else 그 밖에   need 필요하다

Check Up

1

중심
생각

이 글의 알맞은 제목을 완성하세요.

```
┌─────────────────────────────┐
│ _____을(를) 찾아서 │
└─────────────────────────────┘
```

① 행복한 부자　　　　② 가난한 가정　　　　③ 영원한 행복

2

세부
내용

글의 내용과 맞는 것에는 ○표, 틀린 것에는 ✕표 하세요.

(a) 젊은 부부는 부자가 되기 위해 여기저기 여행했다. _____

(b) 부자 부부에게는 아이가 없었다. _____

3

세부
내용

밑줄 친 ⓐ the same question이 의미하는 것을 고르세요.

① 당신들은 자녀가 없나요?

② 당신들은 왜 행복한가요?

③ 당신들은 가장 행복한 부부인가요?

4

빈칸
추론

글의 빈칸 (A)에 들어갈 말로 가장 알맞은 것을 고르세요.

① happy　　　　② rich　　　　③ young

5

세부
내용

글에 등장하는 단어로 빈칸을 채워 보세요.

```
┌────────────────────────────────────────────────┐
│ A young couple wanted to be happy ___ⓐ___ . So  │
│ they looked for the ___ⓑ___ couple.              │
└────────────────────────────────────────────────┘
```

ⓐ: _____　　　　ⓑ: _____

Ch1 Happiness　**23**

STEP 2 Build Up
아래 상자를 알맞게 연결하여 문장을 완성하세요.

1
The poor family was happy

2
The rich couple were not happy

3
The couple with children were not happy

(A) because they had no children.

(B) because they had too many.

(C) because they had each other.

STEP 3 Sum Up

빈칸에 알맞은 단어를 <보기>에서 찾아 쓰세요.

보기   enough   family   happy   met   traveled

The young couple wanted to be **a** _____ forever. They **b** _____ around and met some couples. They asked the question, "Are you the happiest couple?" But all the couples said no. Then the young couple **c** _____ a poor family. The family didn't have **d** _____ food. But they looked happy. The young couple asked, "Why are you happy?" The father answered, "I have my **e** _____."

Look Up

A 아래 그림에 알맞은 단어를 고르세요.

❶
- ☐ poor
- ☐ rich

❷
- ☐ need
- ☐ meet

❸
- ☐ travel
- ☐ answer

B 주어진 단어의 알맞은 우리말 뜻을 찾아 연결하세요.

❶ look • • 너무 ~한

❷ too • • 영원히

❸ young • • 젊은

❹ forever • • ~해 보이다

C 우리말 해석에 맞도록 <보기>에서 알맞은 단어를 골라 빈칸에 쓰세요.

> 보기   meet   enough   question

❶ 나는 너의 질문에 답할 수 없어.

→ I can't answer your _____.

❷ 공원에서 4시에 만나자.

→ Let's _____ at 4 in the park.

❸ 서둘러. 우리는 시간이 충분하지 않아.

→ Hurry up. We don't have _____ time.

04 A Happy Town

Can people become happy because of birds? The answer is yes. A research **team** **studied** some **towns**. Many kinds of birds live in the towns. The team interviewed the town people. They are happier than other people in different towns.

Why do the people feel happy? First, nature becomes more **beautiful** with birds. Birds live in trees. Towns with many birds have many trees. Many trees create beautiful scenery in the towns. People see it every day and feel happy. Also, birds sing **beautifully**. People can hear it and have a peaceful moment. Their happiness **grows** _____(A)_____ .

● ● **주요 단어와 표현**

become ~해지다   research 연구, 조사   many kinds of 많은 종류의   interview(- interviewed) 인터뷰하다   than ~보다   different 다른   first 우선, 먼저   nature 자연   create 만들어 내다   scenery 풍경, 경치   sing (새가) 지저귀다   peaceful 평화로운   moment 순간

Check Up

1 이 글은 무엇에 대해 설명하는 내용인가요?

중심
생각

① 새는 어느 곳에 많이 사나요?

② 우리는 왜 자연을 보호해야 할까요?

③ 새는 우리를 어떻게 행복하게 할까요?

2 글의 내용과 맞는 것에는 ○표, **틀린** 것에는 ✕표 하세요.

세부
내용

(a) 연구팀은 도시에 있는 나무에 대해 연구했다. ＿＿＿＿＿

(b) 새가 많은 도시는 나무가 많다. ＿＿＿＿＿

3 글에 나온 내용이 **아닌** 것을 고르세요.

세부
내용

① 조사한 새의 종류

② 연구팀의 조사 방법

③ 새가 많은 곳의 특징

4 글의 빈칸 (A)에 들어갈 말로 가장 알맞은 것을 고르세요.

빈칸
추론

① smaller   ② slower   ③ bigger

5 글에 등장하는 단어로 빈칸을 채워 보세요.

세부
내용

Many trees create ＿＿＿ⓐ＿＿＿ scenery, and people feel ＿＿＿ⓑ＿＿＿ when they see it.

ⓐ : ＿＿＿＿＿＿＿＿   ⓑ : ＿＿＿＿＿＿＿＿

STEP 2

Build Up

글을 읽고, 빈칸에 <보기>의 단어를 채워 새로 인해 행복해질 수 있는 이유를 완성하세요.

보기	create sing hear trees

Happiness from Birds

❶

Towns with many birds have many ⓐ _____ .

↓

Many trees ⓑ _____ beautiful scenery.

↓

People see it every day and feel happy.

❷

Birds ⓒ _____ beautifully.

↓

People can ⓓ _____ it and have a peaceful moment.

STEP 3

Sum Up

빈칸에 알맞은 단어를 <보기>에서 찾아 쓰세요.

보기	grows birds town beautiful

People can become happy because of ⓐ _____ . Some research showed this. Nature becomes more ⓑ _____ with birds. When there are many birds in a ⓒ _____ , there are many trees. Birds also sing beautifully. When people see beautiful scenery and hear birds' singing, their happiness ⓓ _____ bigger.

A 아래 그림에 알맞은 단어를 고르세요.

1

2

3

☐ grow
☐ sing

☐ become
☐ interview

☐ team
☐ nature

B 주어진 단어의 알맞은 우리말 뜻을 찾아 연결하세요.

1 peaceful   •

2 create   •

3 town   •

4 beautifully •

• 아름답게

• 평화로운

• 만들어 내다

• (소)도시, 마을

C 우리말 해석에 맞도록 <보기>에서 알맞은 단어를 골라 빈칸에 쓰세요.

보기	team	beautiful	study

1 Mina는 아름다운 원피스를 입고 있다.

→ Mina is wearing a ＿＿＿＿＿＿＿＿ dress.

2 그 팀은 그 결과에 깜짝 놀랐다.

→ The ＿＿＿＿＿＿＿＿ became surprised by the result.

3 나는 과학자가 되어 별을 연구하고 싶다.

→ I want to be a scientist and ＿＿＿＿＿＿＿＿ stars.

Stars

아주 먼 옛날, 사람들은 해와 달, 별을
보고 많은 이야기들을 만들어 냈지요.
그중 낮에만 해를 볼 수 있고, 밤에는 달과
별을 볼 수 있게 된 이야기도 있답니다.

Sun, Moon, and Ocean

together	튀 함께, 같이
jealous	형 질투하는
throw (- threw)	동 던지다
call (- called)	동 (~라고) 이름 짓다 *call A B A를 B라고 이름 짓다
decide (- decided)	동 결심하다
day	명 낮
night	명 밤

하늘에서 떨어지는 별똥별을
본 적 있나요? 오래 전부터 사람들은
별똥별을 보면서 소원을 빌었지요.

Shooting Stars

story	명 이야기
both	대 (양쪽) 둘 다
sometimes	튀 가끔, 때때로
see (- saw)	동 (눈으로) 보다
look for (- looked for)	~을 찾다
come true (- came true)	이루어지다, 실현되다

LITERATURE 03

하늘의 별을 이어서 동물, 물건, 인물
등의 이름을 붙여 놓은 것을 별자리라고 해요.
캠핑하면서 우연히 발견한 별자리는
무엇이었을까요?

Drawing in the Sky

go camping (- went camping)	캠핑하러 가다
look at (- looked at)	~을 보다, 살피다
lucky	형 운이 좋은, 행운의
clear	형 (날씨가) 맑은
draw (- drew)	동 (그림을) 그리다
finger	명 손가락

ORIGIN 04

옛날에는 별자리에 대한 과학적 지식이
부족했었지만, 가장 먼저 하늘을 연구하면서
처음으로 별자리를 만든 사람들이 있어요.

The Sky Has Everything

answer	명 답, 해답
show (- showed)	동 보여 주다
use (- used)	동 사용하다, 이용하다
home	명 집
still	부 여전히, 아직도
plan (- planned)	동 계획하다

01 Sun, Moon, and Ocean

The Sun and the Moon were always **together**. They loved the Ocean, and the Ocean loved them. One day, the Ocean made waves for the Moon. The Sun became **jealous**. He **threw** the Moon far away!

The Moon hit the wall of the sky! He made many sparks and **called** them Stars. The Stars were angry at the Sun. They wanted to attack the Sun. But, the Ocean stopped them. She **decided** to see the Sun during the **day** and the Moon at **night**. ⓐ The three friends were happy. And the Stars always followed the Moon.

●● ● 주요 단어와 표현

ocean 바다   always 항상   make(- made) 만들다   wave 파도, 물결   far away 멀리   hit(- hit) 부딪치다   wall 벽
spark 불꽃, 불똥   attack 공격하다   stop(- stopped) (어떤 일이나 행동을) 막다   during ~ 동안   follow(- followed) 따라
가다

Check Up

1 이 글의 알맞은 제목을 고르세요.

중심
생각

① 해는 왜 바다에서 뜰까?

② 별은 어디에서 왔을까?

③ 밤과 낮의 길이는 왜 다를까?

2 글의 내용과 맞는 것에는 ○표, **틀린** 것에는 ✕표 하세요.

세부
내용

(a) Sun과 Moon은 처음에는 따로 지냈다.

(b) Star들은 Ocean에게 화가 났다.

3 밑줄 친 ⓐ The three friends가 가리키는 것을 글에서 찾아 쓰세요.

세부
내용

the Sun, the Moon, and the _____

4 글에 등장하는 단어로 빈칸을 채워 보세요.

세부
내용

The Sun _____ⓐ_____ the Moon far away. The Moon hit the wall of

the sky and _____ⓑ_____ many sparks.

ⓐ: _____   ⓑ: _____

Build Up
각 등장인물을 설명하는 내용에 알맞게 연결하세요.

- (A) made many sparks.

- (B) stopped the Stars.

1 The Sun

- (C) became jealous.

2 The Moon

- (D) wanted to attack the Sun.

3 The Stars

- (E) threw the Moon far away.

4 The Ocean

- (F) always followed the Moon.

Sum Up
이야기 순서에 맞게 빈칸에 번호를 쓰세요.

1 The Stars wanted to attack the Sun, but the Ocean stopped them.

2 The Ocean saw the Sun during the day and the Moon at night.

3 The Ocean made waves for the Moon. The Sun became jealous.

4 The Sun threw the Moon. The Moon made the Stars.

Look Up

A 아래 그림에 알맞은 단어를 고르세요.

①

☐ happy
☐ jealous

②

☐ attack
☐ throw

③

☐ together
☐ far away

B 주어진 단어의 알맞은 우리말 뜻을 찾아 연결하세요.

① always •   • 결심하다

② day   •   • 낮

③ call   •   • 항상

④ decide •   • (~라고) 이름 짓다

C 우리말 해석에 맞도록 <보기>에서 알맞은 단어를 골라 빈칸에 쓰세요.

보기	night	together	threw

① 그는 나한테 공을 던졌다.

→ He ＿＿＿＿＿＿＿ the ball at me.

② 아빠는 밤에 늦게 집에 오신다.

→ Dad comes home late at ＿＿＿＿＿＿＿.

③ 우리는 항상 함께 집에 간다.

→ We always go home ＿＿＿＿＿＿＿.

Shooting Stars

Long ago, there were **stories** about shooting stars. Greek people thought that they were human souls. *Christians thought that they were angels. They **both** started to wish upon a shooting star.

Later, a scientist wrote about shooting stars. In his writings, the gods **sometimes** opened up the skies. They looked down at the earth. Then stars would fall from there. When someone **saw** a falling star and made a wish, the gods would ____(A)____ the wish.

Look for a shooting star. The gods may hear your wish. Your wish may **come true**.

*Christian 기독교인

Check Up

정답과 해설 p.14

1 이 글은 무엇에 대해 설명하는 내용인가요?

중심
생각

① 우리는 언제 별똥별을 볼 수 있나요?

② 사람들은 왜 별똥별에 소원을 비나요?

③ 신들은 왜 별똥별을 만들었나요?

2 그리스인들은 별똥별을 무엇이라고 생각했나요?

세부
내용

① 신 　　　　　　　② 천사 　　　　　　　③ 인간 영혼

3 글의 내용과 맞는 것에는 ○표, 틀린 것에는 ✕표 하세요.

세부
내용

(a) 기독교인들은 별똥별에 소원을 빌지 않았다. _____

(b) 한 과학자는 신들이 가끔 하늘을 열어본다고 했다. _____

4 글의 빈칸 (A)에 들어갈 알맞은 말을 글에서 찾아 쓰세요. (1단어)

빈칸
추론

_____

5 글에 등장하는 단어로 빈칸을 채워 보세요.

세부
내용

The gods sometimes _____ⓐ_____ the skies, and the stars would _____ⓑ_____ from there.

ⓐ: _____　　　　　　　ⓑ: _____

Build Up

글을 읽고, 빈칸에 <보기>의 단어를 채워 별똥별에 대한 한 과학자의 글을 완성하세요.

보기	hear	stars	sees	open up

The gods **a** _____ the skies and look down at the earth.

↓

b _____ fall from the skies.

↓

Someone **c** _____ a falling star and makes a wish.

↓

The gods **d** _____ the wish.

STEP 3
Sum Up

빈칸에 알맞은 단어를 <보기>에서 찾아 쓰세요.

보기	fall	thought	stories	wish

Long ago, people started to make a **a** _____ when they saw a falling star. There were many **b** _____ about shooting stars. Some people **c** _____ that they were human souls. Others thought that they were angels. A scientist thought that stars would **d** _____ when the gods opened up the skies. Then the gods would hear your wish, and your wish would come true.

Look Up

A 아래 그림에 알맞은 단어를 고르세요.

1

- ☐ angel
- ☐ earth

2

- ☐ write
- ☐ fall

3

- ☐ look for
- ☐ open up

B 주어진 단어의 알맞은 우리말 뜻을 찾아 연결하세요.

1 wish ·

2 come true ·

3 someone ·

4 story ·

· 이루어지다

· 소원

· 이야기

· 누군가

C 우리말 해석에 맞도록 <보기>에서 알맞은 단어를 골라 빈칸에 쓰세요.

> 보기   sometimes   both   look for

1 별똥별을 찾아보자.

→ Let's _____ shooting stars.

2 나는 여동생 두 명이 있다. 그들 둘 다 초콜릿을 매우 좋아한다.

→ I have two sisters. They _____ love chocolate.

3 나는 가끔 부엌에서 엄마를 도와드린다.

→ I _____ help my mom in the kitchen.

03 Drawing in the Sky

In summer, my dad and I **go camping**. We set up our tent and make a campfire. At night, we **look at** the stars in the sky. When we are **lucky**, we see shooting stars.

One night, the sky was very **clear**. We were looking at the sky. There were so many stars. Then Dad started to **draw** with his **finger**. He said, "Look. That's *Cygnus!" I didn't see anything. Then he added, "That one looks like a swan. Follow my finger." I followed his finger. I drew _____(A)_____ in the sky.

*Cygnus 백조자리 (십자 모양의 별자리)

●● 주요 단어와 표현

set up 설치하다   campfire 캠프파이어, 모닥불   so 정말, 너무나   anything (부정문에서) 아무것도   add(- added) 덧붙여 말하다   look like ~처럼 보이다   swan 백조

Check Up

1 이 글의 알맞은 제목을 고르세요.

중심
생각

① 미운 오리 새끼, 백조

② 아빠와 재밌는 캠핑

③ 백조자리의 슬픈 전설

2 'I'에 대해 글의 내용과 맞는 것에는 ○표, **틀린** 것에는 ×표 하세요.

세부
내용

(a) 여름에 아빠와 캠핑하러 간다. _____

(b) 캠핑 가서 별똥별을 본 적이 없다. _____

(c) 아빠보다 먼저 백조자리를 발견했다. _____

3 글의 빈칸 (A)에 들어갈 말로 가장 알맞은 것을 고르세요.

빈칸
추론

① a tent   ② a swan   ③ a star

4 글에 등장하는 단어로 빈칸을 채워 보세요.

세부
내용

Dad and I were looking at the ____ⓐ____ in the sky. Then Dad ____ⓑ____ with his finger.

ⓐ: _____   ⓑ: _____

Build Up 주어진 그림에 알맞은 문장을 연결하세요.

(A) We look at the stars in the sky.

(B) We see shooting stars when we are lucky.

(C) We set up our tent.

(D) We make a campfire.

 Sum Up 빈칸에 알맞은 단어를 <보기>에서 찾아 쓰세요.

보기   sky   swan   draw   finger   stars

One night, there were many ⓐ＿＿＿＿ in the clear sky. Dad and I were looking at the stars. Then he started to ⓑ＿＿＿＿ with his finger. It looked like a ⓒ＿＿＿＿. I followed his ⓓ＿＿＿＿ and drew a swan in the ⓔ＿＿＿＿.

A 아래 그림에 알맞은 단어를 고르세요.

1

☐ draw
☐ go camping

2

☐ set up
☐ look at

3

☐ finger
☐ campfire

B 주어진 단어의 알맞은 우리말 뜻을 찾아 연결하세요.

1 clear ·   · ~처럼 보이다

2 add ·   · (날씨가) 맑은

3 swan ·   · 덧붙여 말하다

4 look like ·   · 백조

C 우리말 해석에 맞도록 <보기>에서 알맞은 단어를 골라 빈칸에 쓰세요.

보기	look at	drew	lucky

1 오늘은 운이 좋은 날이다.

→ Today is my _____ day.

2 그는 수업 중에 엄마를 그렸다.

→ He _____ his mother in class.

3 나무 옆에 있는 여자 아이를 봐.

→ _____ the girl next to the tree.

The Sky Has Everything

Long ago, humans looked for **answers** in the sky. *Babylonians watched and first studied the sky. Then they came up with twelve star signs. The star signs **showed** the time of the year and directions. Farmers **used** the sky as a calendar. Travelers followed the stars and found their way.

People also looked at the stars for advice. They thought the sky was the **home** of many gods. **Still** today, some people find their star signs in the newspaper. They sometimes **plan** their day with them.

*Babylonian 바빌로니아인 ((바빌로니아: 메소포타미아 문명의 발상지))

●● **주요 단어와 표현**

first 처음으로   study(- studied) 연구하다   come up with(- came up with) ~을 생각해 내다   star sign 별자리   time 시기, 시간   direction 방향   calendar 달력   traveler 여행자   follow(- followed) 따라가다   find(- found) 찾다, 발견하다   way 길   also 또한   advice 충고, 조언   newspaper 신문

Check Up

1 이 글의 알맞은 제목을 고르세요.

중심
생각

① 별자리 관측 방법

② 별자리에 얽힌 신화

③ 별자리의 탄생과 쓰임

2 글의 내용과 맞는 것에는 ○표, 틀린 것에는 ✕표 하세요.

세부
내용

(a) 바빌로니아인들이 처음으로 하늘을 연구했다. _____

(b) 여행자들은 별을 보고 길을 찾을 수 없었다. _____

(c) 어떤 사람들은 하늘이 신의 집이라고 생각했다. _____

3 별자리가 사용된 일로 글에 <u>없는</u> 것을 고르세요.

세부
내용

① 농사의 시기 정하기   ② 하루 일과 계획하기   ③ 우주 역사 연구하기

4 글에 등장하는 단어로 빈칸을 채워 보세요.

세부
내용

Humans looked _____ⓐ_____ the stars in the sky and looked
_____ⓑ_____ answers.

ⓐ: _____   ⓑ: _____

STEP 2 Build Up

글을 읽고, 빈칸에 <보기>의 단어를 채워 사람들이 어떻게 별자리를 사용했는지 완성하세요.

보기　　　advice　　used　　plan　　way

Farmers a _____ the star signs as a calendar.

Travelers followed the stars and found their b _____.

How did[do] people use star signs?

People looked at the stars for c _____.

Some people d _____ their day with their star signs.

STEP 3 Sum Up

빈칸에 알맞은 단어를 <보기>에서 찾아 쓰세요.

보기　　　directions　answers　find　showed

Long ago, people wanted to find a _____ in the sky. Babylonians came up with 12 star signs. The star signs b _____ the time of the year and c _____. Some people looked at the stars for advice. Today, you can still d _____ your star sign in the newspaper and plan your day.

Look Up

A 아래 그림에 알맞은 단어를 고르세요.

1

☐ way
☐ answer

2

☐ home
☐ calendar

3

☐ plan
☐ follow

B 주어진 단어의 알맞은 우리말 뜻을 찾아 연결하세요.

1 direction •   • 여전히

2 still •   • 신문

3 use •   • 방향

4 newspaper •   • 사용하다

C 우리말 해석에 맞도록 <보기>에서 알맞은 단어를 골라 빈칸에 쓰세요.

보기	home	answer	show

1 표를 보여 주세요.

→ Please _____ your ticket.

2 나는 답을 알고 있다.

→ I know the _____ .

3 그녀는 7시에 집을 나설 것이다.

→ She will leave _____ at seven o'clock

CHAPTER 3 Environment

LITERATURE

01 Kate's Art

throw away (- threw away)	버리다, 없애다
art	몡 미술품
sign	몡 표지판, 간판
used	몡 사용된, 중고의
bottle	몡 병
find (- found)	동 찾다, 발견하다

업사이클링(Upcycling)이란 버려지는 물건들을 재활용하는 걸 넘어, 디자인을 더하여 새로운 가치를 담은 물건으로 만들어 내는 것을 의미해요.

PEOPLE

02 Wangari's Umbrella

under	전 ~의 아래에
return (- returned)	동 돌아오다, 되돌아가다
like	전 ~와 비슷한
plant (- planted)	동 (식물을) 심다 / 몡 식물
tell (- told)	동 알리다, 말하다
each	대 각각, 각자

환경 운동가 왕가리 마타이(Wangari Maathai)는 그린벨트 운동을 통해서 아프리카의 사회, 경제 발전에 크게 기여했고, 노벨평화상을 수상하기도 했답니다.

LITERATURE 03

OFF

정전은 갑자기 발생하지만 일상생활에서 미리 예방할 수 있어요. 불필요한 가전제품 전원 끄기나 사용하지 않는 콘센트 뽑기 등 정전 예방법을 미리 알고 있는 것이 중요해요.

Small Change

power	명 전기, 전력
scared	형 무서워하는, 겁먹은
burn (- burned)	동 (불에) 태우다
careful	형 신경을 쓰는, 소중히 하는
warm	형 따뜻한
turn off (- turned off)	(전기, 수도 등을) 끄다, 잠그다
save (- saved)	동 절약하다, 아끼다

WORLD 04

점점 심각해지는 물 부족과 수질 오염을 방지하기 위해서 UN(국제연합)은 세계 물의 날(World Water Day)을 선포했어요.

Safe Water

think (- thought)	동 생각하다
thought	명 생각
drink (- drank)	동 (물 등을) 마시다
clean	형 깨끗한
share (- shared)	동 (남과) 함께 나누다, (남에게) 말하다
bring (- brought)	동 가져오다

01 Kate's Art

Kate wanted to **throw away** her old toys. Then her dad took her to an **art** show in the park. There was a **sign**, "Recycle! Reuse! Make Art!"

First, Kate saw dolls. An artist made them with pieces of old clothes. Then she saw an elephant. Another artist made it with **used** plastic **bottles**. Kate's dad said, "See? We can make art with used things."

At home, Kate **found** glue and small pieces of her old toys. She wanted to make art with them. And she made it. It was a new picture frame!

● ● **주요 단어와 표현**

old(↔ new) 오래된, 낡은(↔ 새로운)　take A to B(- took A to B) A를 B로 데리고 가다　show 전시회　recycle 재활용하다　reuse 재사용하다　see(- saw) 보다　doll 인형　artist 예술가　piece of ~의 조각, 부분　clothes 옷　elephant 코끼리　another 다른, 또 하나의　plastic 플라스틱으로 된　thing 물건, 사물　glue 풀, 접착제　picture frame 액자, 사진틀

Check Up

1 이 글의 알맞은 제목을 고르세요.

중심
생각

① 분리수거의 중요성

② 거리 예술가의 메시지

③ 낡은 물건을 되살리는 예술

2 글의 내용과 맞는 것에는 ○표, **틀린** 것에는 ✕표 하세요.

세부
내용

(a) 한 예술가는 헌 옷으로 코끼리를 만들었다. _____

(b) Kate는 집에 돌아와서 예전 장난감들을 버렸다. _____

3 Kate의 아빠가 Kate를 미술 전시회에 데리고 간 이유를 고르세요.

세부
내용

① 예술적인 재능을 길러 주려고

② 미술 숙제를 하는 데 도움을 주려고

③ 물건을 재활용하는 방법을 보여 주려고

4 글에 등장하는 단어로 빈칸을 채워 보세요.

중심
생각

We can _____(a)_____ art with old and _____(b)_____ things.

(a): _____   (b): _____

STEP 2 Build Up

아래 상자를 알맞게 연결하여 문장을 완성하세요.

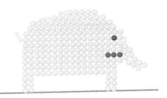

1 An artist made an elephant

2 Kate made a picture frame

3 An artist made dolls

(A) with small pieces of her old toys.

(B) with pieces of old clothes.

(C) with used plastic bottles.

STEP 3 Sum Up

빈칸에 알맞은 단어를 <보기>에서 찾아 쓰세요.

보기   art   took   toys   used

Kate wanted to throw away her old toys. Then her dad **a** _____ her to an art show. Some artists made **b** _____ with **c** _____ things. At home, Kate made art with her old **d** _____ .

Look Up

A 아래 그림에 알맞은 단어를 고르세요.

①

☐ sign
☐ park

②

☐ glue
☐ bottle

③

☐ reuse
☐ throw away

B 주어진 단어의 알맞은 우리말 뜻을 찾아 연결하세요.

① art •
② used •
③ recycle •
④ piece of •

• ~의 조각, 부분
• 미술품
• 사용된, 중고의
• 재활용하다

C 우리말 해석에 맞도록 <보기>에서 알맞은 단어를 골라 빈칸에 쓰세요.

보기	found	sign	throw away

① 그 표지판에는 '들어오지 마시오'라고 쓰여 있다.

→ The _____ says, "Don't enter."

② 나는 그 공을 의자 아래에서 찾았다.

→ I _____ the ball under the chair.

③ 그 신발 상자를 버리지 마라.

→ Don't _____ the shoe box.

Wangari's Umbrella

Wangari lived **under** an umbrella of green trees in Kenya. She then went to America and studied there. Six years later, she **returned** home to Kenya. But her home changed. There were _____(A)_____. It was **like** a desert.

Wangari **planted** trees in her backyard. She **told** the village women about planting trees. She gave a small tree to **each** of them. The women planted trees. More women started to do so.

The small trees took root and grew tall. Other **plants** grew. What happened? ⓐ The green umbrella in Kenya came back.

●● **주요 단어와 표현**

umbrella 우산   study(- studied) 공부하다   there 그곳에서   later 후에   home 고국으로; 고향   change(- changed) 변하다   desert 사막   backyard 뒷마당   village 마을   give(- gave) 주다   small 어린   so 그렇게   grow(- grew) ~하게 되다; 자라다   take root(- took root) 뿌리를 내리다   happen(- happened) (일이) 일어나다   come back (- came back) 돌아오다

Check Up

1

중심
생각

이 글의 유형으로 가장 알맞은 것을 고르세요.

① 초대장　　　　　② 전기문　　　　　③ 독후감

2

세부
내용

글의 내용과 맞는 것에는 〇표, **틀린** 것에는 ✕표 하세요.

(a) Wangari의 고향은 원래 나무가 없는 사막이었다. ＿＿＿＿

(b) 마을 사람들은 Wangari가 나무를 심는 것을 반대했다. ＿＿＿＿

3

빈칸
추론

글의 빈칸 (A)에 들어갈 말로 가장 알맞은 것을 고르세요.

① many cars　　　② no houses　　　③ no trees

4

세부
내용

밑줄 친 ⓐ가 의미하는 것으로 가장 알맞은 것을 고르세요.

① There were many trees again.

② There were many village women.

③ There were many deserts in Kenya.

5

중심
생각

글에 등장하는 단어로 빈칸을 채워 보세요.

Wangari and the village women planted ＿＿＿ⓐ＿＿＿, and the green ＿＿＿ⓑ＿＿＿ in Kenya came back.

ⓐ: ＿＿＿＿＿＿　　　　　ⓑ: ＿＿＿＿＿＿

Build Up Wangari가 한 일의 순서에 맞게 빈칸에 번호를 쓰세요.

①	②	③	④

She returned home, but there were no trees.	She planted trees in her backyard.	She studied in America.	She gave small trees to the village women, and the women planted the trees.

[ ] → [ ] → [ ] → [ ]

 Sum Up 빈칸에 알맞은 단어를 <보기>에서 찾아 쓰세요.

보기	grew	like	plant	told

When Wangari returned to Kenya, her home was (a) _____ a desert. So she started to (b) _____ trees. She also (c) _____ many village women about it. The women started to plant trees, too. The trees (d) _____ tall, and there were many trees again.

Look Up

A 아래 그림에 알맞은 단어를 고르세요.

1

- ☐ village
- ☐ desert

2
- ☐ plant
- ☐ change

3

- ☐ tell
- ☐ come back

B 주어진 단어의 알맞은 우리말 뜻을 찾아 연결하세요.

1 under •

• ~와 비슷한

2 like •

• 고국으로; 고향

3 study •

• ~의 아래에

4 home •

• 공부하다

C 우리말 해석에 맞도록 <보기>에서 알맞은 단어를 골라 빈칸에 쓰세요.

보기	each	return	plant

1 이 식물은 빨간 꽃이 있다.

→ This _____ has a red flower.

2 그는 우리 각자에게 사과를 하나씩 주었다.

→ He gave an apple to _____ of us.

3 그가 언제 집으로 돌아왔나요?

→ When did he _____ home?

Small Change

One night, the **power** went out at home. Everything became dark. I was **scared**. But my brother, Bobby, was calm. He said, "We used too much energy. We get energy by **burning** fuel. But we're not **careful** about it. We won't have enough fuel in the future."

Bobby was right. Because of energy, our house is **warm**. I eat warm food. I play computer games.

So I decided to be more careful. Now I **turn off** the lights. I put on a sweater when it's cold. **Saving** energy is _____(A)_____. Everyone can start with little things.

● ● **주요 단어와 표현**

change 변화   go out(- went out) (전기가) 나가다   dark 어두운, 캄캄한   calm 침착한, 차분한   energy 에너지   fuel 연료   enough 충분한   future 미래   light (전깃)불, 빛   put on ~을 입다   sweater 스웨터   thing 것, 일

Check Up

정답과 해설 p.26

1 글의 'I'가 말하고자 하는 것은 무엇인가요?

중심
생각

① 컴퓨터 게임을 많이 하면 안 된다.

② 미래에는 더 많은 에너지가 필요하다.

③ 에너지 절약은 작은 것부터 시작된다.

2 글의 내용과 맞는 것에는 ○표, 틀린 것에는 ✕표 하세요.

세부
내용

(a) 집에 정전이 되었을 때 'I'는 침착했다. _____

(b) Bobby 형은 미래에 연료가 부족할 거라고 했다. _____

3 글에 나온 내용이 아닌 것을 고르세요.

세부
내용

① 미래 에너지의 종류

② 에너지로 할 수 있는 일

③ 에너지 절약 방법

4 글의 빈칸 (A)에 들어갈 말로 가장 알맞은 것을 고르세요.

빈칸
추론

① easy   ② enough   ③ dark

5 글에 등장하는 단어로 빈칸을 채워 보세요.

중심
생각

We should _____ⓐ_____ energy because we won't have enough
fuel in the _____ⓑ_____ .

ⓐ: _____   ⓑ: _____

Build Up   주어진 질문에 알맞은 대답을 연결하세요.

Question | 질문

Answer | 대답

1 What can we do with energy?

(A) Turn off the lights. Put on a sweater when it's cold.

2 Why should we save energy?

(B) We won't have enough fuel in the future.

3 How can we save energy?

(C) We can live in a warm house, eat warm food and play computer games.

 Sum Up   빈칸에 알맞은 단어를 <보기>에서 찾아 쓰세요.

보기	careful enough burning used

One night, the power went out at home. Everything became dark. Then my brother said, "We a too much energy. We get energy by b fuel. We won't have c fuel in the future." So I decided to be more d and save energy.

Look Up

A 아래 그림에 알맞은 단어를 고르세요.

1

- ☐ warm
- ☐ careful

2

- ☐ calm
- ☐ scared

3

- ☐ burn
- ☐ save

B 주어진 단어의 우리말 뜻을 찾아 연결하세요.

1 power ·

2 future ·

3 careful ·

4 enough ·

· 충분한

· 전기, 전력

· 신경을 쓰는

· 미래

C 우리말 해석에 맞도록 <보기>에서 알맞은 단어를 골라 빈칸에 쓰세요.

| 보기 | burned | save | turn off |

1 우리는 물을 절약해야 한다.

→ We should _____ water.

2 그는 낙엽을 태웠다.

→ He _____ dead leaves.

3 TV를 끄거라. 거의 10시란다.

→ _____ the TV. It's almost 10 o'clock.

Safe Water

March 22nd is a special day. It's World Water Day. On this day, people **think** about water problems in the world. Many people still **drink** dirty water. Sometimes they get sick from it. But we get **clean** water every day. We don't think about this often.

On World Water Day, **share** your **thoughts** and stories about water. Try to save water for one day. Take shorter showers. Turn off the water when you brush your teeth.

Those changes are small. _____(A)_____ they can **bring** great change to our world.

● ● ● **주요 단어와 표현**

March 3월　special 특별한　world 세계　problem 문제　still 아직도　dirty 더러운　sometimes 때때로, 가끔　get (어떤 상태가) 되다; 얻다　often 자주　try to ~하려고 노력하다　take a shower 샤워하다　shorter 더 짧은　brush one's teeth 이를 닦다　great 큰, 엄청난

Check Up

1 이 글의 알맞은 제목을 고르세요.

중심
생각

① 환경 보존을 위한 첫걸음

② 특별한 3월 22일, 세계 물의 날

③ 세계 물의 날의 슬픈 역사

2 세계 물의 날에 대해 글의 내용과 맞는 것에는 ○표, 틀린 것에는 ✗표 하세요.

세부
내용

(a) 우리는 물에 대한 생각을 함께 나눠야 한다. _____

(b) 하루만이라도 물을 아끼려고 노력해야 한다. _____

3 물을 아끼는 방법에 대해 글에 <u>없는</u> 내용을 고르세요.

세부
내용

① 샤워하는 시간을 줄인다.

② 설거지통을 사용한다.

③ 이를 닦을 때 물을 잠근다.

4 글의 빈칸 (A)에 들어갈 말로 가장 알맞은 것을 고르세요.

빈칸
추론

① So   ② But   ③ Then

5 글에 등장하는 단어로 빈칸을 채워 보세요.

세부
내용

We should _____ⓐ_____ about water problems and try to _____ⓑ_____ water on World Water Day.

ⓐ: _____   ⓑ: _____

 Build Up 글을 읽고 빈칸에 <보기>의 단어를 채워 세계 물의 날 관련된 내용을 완성하세요.

보기 problems   save   March   share

World Water Day	
When is it?	ⓐ _____ 22nd
Why is it important?	Many people still drink dirty water. We don't think about water ⓑ _____ often.
What do we do on the day?	• Think about water problems in the world. • ⓒ _____ our thoughts and stories about water. • Try to ⓓ _____ water.

Sum Up 빈칸에 알맞은 단어를 <보기>에서 찾아, 그림일기를 완성하세요.

보기   dirty   shower   sick   water

March 22nd

Today is a special day. It's World Water Day. There are many ⓐ _____ problems in the world. People get ⓑ _____ because of ⓒ _____ water! So today I tried to save water. I took a shorter ⓓ _____ . Then I turned off the water when I brushed my teeth!

Look Up

A 아래 그림에 알맞은 단어를 고르세요.

①

☐ bring
☐ drink

②

☐ clean
☐ short

③

☐ think
☐ turn off

B 주어진 단어의 알맞은 우리말 뜻을 찾아 연결하세요.

① still   •   • 자주

② thought •   • 가져오다

③ bring   •   • 생각

④ often   •   • 아직도

C 우리말 해석에 맞도록 <보기>에서 알맞은 단어를 골라 빈칸에 쓰세요.

> 보기   share   think   drink

① 그들은 서로의 비밀을 나눈다.

→ They _____ each other's secrets.

② 너는 이 계획에 대해 어떻게 생각하니?

→ What do you _____ about this plan?

③ 더운 날에는 물을 많이 마셔라.

→ _____ a lot of water on hot days.

Dumplings

LITERATURE   01

『미운 오리 새끼』에서의 주인공처럼
남다른 외모를 가진 만두의 이야기를
읽어보아요.

The Ugly Dumpling

ugly	형 못생긴, 보기 싫은
different	형 다른, 차이가 나는 *different from ~와 다른
friend	명 친구
show up (- showed up)	나타나다
leave (- left)	동 (장소에서) 떠나다
join (- joined)	동 함께하다, 합류하다

FOOD   02

만두는 우리나라뿐만 아니라
전 세계 여러 나라에서 즐겨 먹는 음식 중
하나예요. 만두를 만드는 방법을 함께
알아볼까요?

Delicious Dumplings

vegetable	명 채소
bowl	명 그릇, 볼
add (- added)	동 더하다, 추가하다
wrap (- wrapped)	동 싸다, 감싸다 *wrap A in B A를 B에 감싸다
cook (- cooked)	동 요리하다
boil (- boiled)	동 1. 삶다 2. 끓다, 끓이다

VOCA

LITERATURE 03

설날에 가족과 함께 만두를 빚어본 적이 있나요? 어른들은 쉽게 만두를 빚으시는 것 같지만, 예쁘게 만두를 빚는 건 의외로 쉽지 않답니다.

Funny Dumplings

help (- helped)	동 돕다, 거들다
easy	형 쉬운, 수월한
worried	형 걱정스러운
worry (- worried)	동 걱정하다
look like (- looked like)	~처럼 보이다, ~처럼 생기다
soup	명 국, 수프

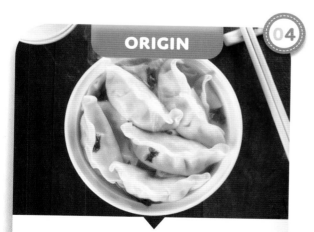

ORIGIN 04

중국의 한 의사는 동상에 걸린 환자들을 치료하기 위해 환자의 귀 모양을 따서 음식을 만들었어요. 이건 오늘날의 교자만두(쟈오쯔)가 되었답니다.

A Bowl of Dumpling Soup

know (- knew)	동 알다, 알고 있다
sick	형 아픈, 병든
pot	명 냄비, 솥
soon	부 곧, 잠시 후
give out (- gave out)	~을 나눠 주다
until	전 ~ 까지

The Ugly Dumpling

There was an **ugly** dumpling. The ugly dumpling looked **different** from others. He didn't have **friends**. Then a dirty mouse **showed up** and said, "I'll be your friend."

They **left** the kitchen and saw people. People were eating dumplings. Then the ugly dumpling found another ugly dumpling. The ugly dumpling was not a dumpling. He was a steamed bun! He wanted to **join** the other buns.

But the other buns didn't like the mouse. Only the ugly dumpling stayed friends with the mouse. After all, the ugly dumpling was different from the other buns. And that was a good thing.

●● **주요 단어와 표현**

dumpling 만두　look(- looked) ~해 보이다　others 다른 것　*other 다른　dirty 더러운, 지저분한　see(- saw) 보다
another 또 하나의　steamed (음식을) 찐, 쪄진　bun 둥근 빵　only 오직 ~만　stay(- stayed) ~인 채로 있다　after all
결국에는　thing (상황, 행동을 가리키는) 것, 일

Check Up

1 이 글의 알맞은 제목을 고르세요.

중심
생각

① 쥐가 가장 좋아하는 만두

② 특별한 만두와 그의 친구

③ 맛있는 찐빵이 되는 비결

2 못생긴 만두에게 친구가 <u>없었던</u> 이유는 무엇인가요?

세부
내용

① 쥐와 친구가 되어서

② 찐빵이 되고 싶어서

③ 다른 만두와 다르게 생겨서

3 글의 내용과 맞는 것에는 〇표, <u>틀린</u> 것에는 ×표 하세요.

세부
내용

(a) 쥐와 못생긴 만두는 사람들이 만두를 먹는 것을 보았다. _____

(b) 못생긴 만두는 만두가 아니라 찐빵이었다. _____

(c) 다른 찐빵들도 쥐와 친구가 되었다. _____

4 글에 등장하는 단어로 빈칸을 채워 보세요.

중심
생각

The ugly dumpling was _____ ⓐ _____ from others. He stayed
_____ ⓑ _____ with the mouse.

ⓐ: _____   ⓑ: _____

STEP 2
Build Up
글을 읽고, 빈칸에 <보기>의 단어를 채워 각 등장인물에 대한 설명을 완성하세요.

보기	stayed	like	friends	different	dirty

The Mouse

- was a _____.
- showed up in the kitchen.
- became b _____ with the ugly dumpling.

The Ugly Dumpling

- was c _____ from others.
- d _____ friends with the mouse.

The Other Buns

- looked the same as the ugly dumpling.
- didn't e _____ the mouse.

STEP 3
Sum Up
 이야기의 순서에 맞게 빈칸에 번호를 쓰세요.

①  Only the ugly dumpling stayed friends with the mouse.

②  The ugly dumpling looked different from other dumplings. He didn't have friends.

③  The ugly dumpling was a steamed bun. But the other buns didn't like the mouse.

④  The ugly dumpling and the mouse became friends.

Look Up

A 아래 그림에 알맞은 단어를 고르세요.

1
- ☐ leave
- ☐ show up

2
- ☐ look
- ☐ join

3
- ☐ dirty
- ☐ different

B 주어진 단어의 알맞은 우리말 뜻을 찾아 연결하세요.

1 other •
2 steamed •
3 ugly •
4 only •

• (음식을) 찐
• 못생긴
• 오직 ~만
• 다른

C 우리말 해석에 맞도록 <보기>에서 알맞은 단어를 골라 빈칸에 쓰세요.

> 보기   friends   different   leave

1 그는 집을 떠나고 싶어 했다.

→ He wanted to _____ home.

2 Betty는 나의 가장 친한 친구들 중 한 명이다.

→ Betty is one of my best _____.

3 내 여동생은 나와 다르다.

→ My sister is _____ from me.

Delicious Dumplings

In some countries, people make dumplings for New Year's Day. You can easily make them. Here is the recipe.

1. Prepare pork and some **vegetables** for the filling.
2. Chop up the vegetables. You can use green onions, Chinese cabbage, or kimchi.
3. Put the vegetables and pork in a **bowl**.
4. **Add** some salt and pepper and mix everything well.
5. Take a spoonful of the filling. **Wrap** it **in** a dumpling wrapper. Do this many times.
6. **Cook** the dumplings. You can **boil** or fry them.

How about trying it on _____(A)_____ with your family? You'll have more fun on the first day of the year.

●● **주요 단어와 표현**

some 몇몇의, 조금의   New Year's Day 새해 첫날   easily 쉽게   recipe 조리법   prepare 준비하다   pork 돼지고기
filling (음식의) 소, 속   chop up 잘게 썰다   green onion 파   Chinese cabbage 배추   salt 소금   pepper 후추
mix 섞다   spoonful 한 숟가락의 분량   dumpling wrapper 만두피   many times 여러 번   fry (기름에) 튀기다
try 시도하다   have fun 재미있게 보내다

Check Up

정답과 해설 p.34

1

중심 생각

이 글의 목적은 무엇인가요?

_____을[를] 설명하기 위해

① 만두의 전통과 역사　　② 만두를 만드는 방법　　③ 만두에 들어가는 재료

2

세부 내용

이 글에서 만두 재료로 등장하지 <u>않은</u> 것을 고르세요.

① 돼지고기　　　　② 배추　　　　③ 달걀

3

세부 내용

글의 내용과 맞는 것에는 ○표, <u>틀린</u> 것에는 ✕표 하세요.

(a) 다진 채소와 고기를 잘 섞어야 한다.　　　　　　_____

(b) 만들어진 만두를 삶거나 기름에 튀겨 먹는다.　　_____

4

빈칸 추론

글의 빈칸 (A)에 들어갈 말로 가장 알맞은 것을 고르세요.

① Christmas Day　　② New Year's Day　　③ Parents' Day

5

중심 생각

글에 등장하는 단어로 빈칸을 채워 보세요.

You can ____@____ make dumplings with pork and some vegetables.
When you cook the dumplings, ____ⓑ____ or fry them.

ⓐ: _____　　　　　　ⓑ: _____

STEP 2 Build Up 만두 조리법 순서에 맞게 빈칸에 번호를 쓰세요.

1

Wrap the filling in the dumpling wrappers.

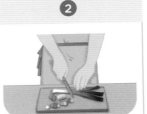
2

Chop up the vegetables. You can use green onions, Chinese cabbage, or kimchi.

3

Add some salt and pepper and mix everything.

4

Put the vegetables and pork in a bowl.

STEP 3 Sum Up 빈칸에 알맞은 단어를 <보기>에서 찾아 쓰세요.

보기   fry   wrap   vegetables   mix

How about making dumplings with your family? It's easy. First, prepare pork and some ⓐ _____ . Chop up the vegetables. Then ⓑ _____ everything with salt and pepper. Take a spoonful of the filling and ⓒ _____ it in a dumpling wrapper. Then boil or ⓓ _____ the dumplings.

A 아래 그림에 알맞은 단어를 고르세요.

1

- ☐ boil
- ☐ wrap

2

- ☐ pork
- ☐ vegetable

3

- ☐ bowl
- ☐ filling

B 주어진 단어의 알맞은 우리말 뜻을 찾아 연결하세요.

- **1** prepare •
- **2** recipe •
- **3** mix •
- **4** chop up •

- • 조리법
- • 잘게 썰다
- • 준비하다
- • 섞다

C 우리말 해석에 맞도록 <보기>에서 알맞은 단어를 골라 빈칸에 쓰세요.

보기	add	bowl	cook

1 그릇 안에 모든 것을 잘 섞으세요.

→ Mix everything well in a _____ .

2 다음에, 달걀 두 개를 추가해 주세요.

→ Next, _____ two eggs.

3 5분 동안 고기를 요리하세요.

→ _____ the meat for 5 minutes.

Funny Dumplings

Yesterday, Grandma was making dumplings. I wanted to **help** her. But she said, "I'm making the filling now. Can you help me later?" When she finished it, she gave me some wrappers. I tried to make good dumplings. But it wasn't **easy**.

My dumplings looked funny. I was **worried**. "Grandma, nobody will eat my dumplings. They are ugly." She said, "Don't **worry**. Keep trying." After some time, my dumplings started to **look like** Grandma's!

When we finished wrapping, Grandma made dumpling **soup**. Everyone enjoyed the dumpling soup. They liked my funny dumplings, too.

●● **주요 단어와 표현**

funny 이상한, 기이한   later 나중에   finish(- finished) 끝내다   give(- gave) 주다   try to(- tried to) ~하려고 노력하다
nobody 아무도 ~않다   keep -ing ~을 계속하다   after ~ 후에   everyone 모든 사람   enjoy(- enjoyed) 즐기다

1 이 글의 알맞은 제목을 고르세요.

중심
생각

① 할머니와 만두 만들기

② 할머니의 특별한 만두

③ 모두가 좋아하는 만둣국

2 글의 내용과 맞는 것에는 ○표, **틀린** 것에는 ✕표 하세요.

세부
내용

(a) '나'는 할머니와 함께 만두를 만들었다.   _____

(b) '내'가 처음에 만든 만두는 할머니의 만두와 비슷했다.   _____

3 글의 'I'가 걱정한 이유는 무엇인가요?

세부
내용

① 자신의 만두가 너무 맛이 없어서

② 할머니가 만두를 너무 많이 만들어서

③ 아무도 자신의 만두를 먹지 않을 거라고 생각해서

4 글에 등장하는 단어로 빈칸을 채워 보세요.

세부
내용

My dumplings looked funny and _____ⓐ_____, but _____ⓑ_____ liked them.

ⓐ: _____   ⓑ: _____

Build Up
아래 등장인물을 각각 설명하는 내용에 알맞게 연결하세요.

1 'I'

2 Grandma

(A) made funny dumplings.

(B) made the fillings.

(C) made dumpling soup.

(D) became worried about the funny dumplings.

Sum Up
이야기의 순서에 맞게 빈칸에 번호를 쓰세요.

1 My dumplings looked funny, so I was worried.

2 I kept trying. My dumplings started to look like Grandma's.

3 When we finished wrapping, Grandma made dumpling soup. Everyone enjoyed it.

4 Grandma gave me some wrappers. We started to make dumplings.

Look Up

A 아래 그림에 알맞은 단어를 고르세요.

①

☐ give
☐ look like

②

☐ funny
☐ worried

③

☐ finish
☐ help

B 주어진 단어의 알맞은 우리말 뜻을 찾아 연결하세요.

① easy   •   • 쉬운

② soup   •   • 나중에

③ everyone •   • 국, 수프

④ later   •   • 모든 사람

C 우리말 해석에 맞도록 <보기>에서 알맞은 단어를 골라 빈칸에 쓰세요.

보기	worry	looks like	worried

① 무슨 일 있니? 걱정스러워 보여.

→ What's wrong? You look _____.

② 저에 대해 걱정하지 마세요. 저는 괜찮을 거예요.

→ Don't _____ about me. I will be fine.

③ 저 구름은 토끼처럼 보인다.

→ That cloud _____ a rabbit.

04 A Bowl of Dumpling Soup

ORIGIN

Every Chinese New Year, families make dumplings together. But some people don't **know** about the history of this tradition. It started with a doctor in *the Han Dynasty.

One day, the doctor found some hungry and **sick** people. He wanted to _____(A)_____ them. First, he boiled meat soup and medicine in a **pot**. Then he made dumplings with the meat. Finally, he boiled the dumplings in the soup. Everyone had a bowl of dumpling soup. They **soon** felt better. The doctor **gave out** dumpling soup **until** Chinese New Year's Eve.

*the Han Dynasty 중국의 동한시대(A.D. 25~220년)

● ● **주요 단어와 표현**

every 매 ~, ~마다   Chinese New Year 중국의 설, 춘절   together 함께   history 역사   tradition 전통   hungry 배고픈
meat 고기   medicine 약   finally 마지막으로   feel better(- felt better) (기분·몸이) 나아지다   eve (종교, 명절 등의)
전날, 전날 밤

Check Up

1 이 글의 알맞은 제목을 고르세요.

중심
생각

① 중국식 만두의 특징

② 중국 설날 만둣국의 유래

③ 동한시대의 설날 음식들

2 글에 등장한 의사가 한 일이 <u>아닌</u> 것을 고르세요.

세부
내용

① 고깃국과 약을 냄비에 끓였다.

② 병든 몇몇 사람들에게만 만둣국을 나누어 주었다.

③ 중국 설 전날까지 만둣국을 나누어 주었다.

3 의사가 만든 만둣국에 대해 글에 <u>없는</u> 내용을 고르세요.

세부
내용

① 만드는 방법   ② 만둣국의 재료   ③ 만들어진 장소

4 글의 빈칸 (A)에 들어갈 말로 가장 알맞은 것을 고르세요.

빈칸
추론

① know   ② help   ③ join

5 글에 등장하는 단어로 빈칸을 채워 보세요.

세부
내용

A Chinese doctor made dumpling soup for hungry and _____ ⓐ _____
people. He gave out the soup _____ ⓑ _____ Chinese New Year's Eve.

ⓐ: _____   ⓑ: _____

STEP 2 Build Up

그림에 알맞은 문장을 연결한 후, 글의 순서에 맞게 빈칸에 번호를 쓰세요.

①

(A) The doctor made dumplings with the meat.

②

(B) The doctor boiled meat soup and medicine in a pot.

③

(C) The doctor boiled the dumplings in the soup.

④

(D) The doctor gave out dumpling soup to sick people.

STEP 3 Sum Up

빈칸에 알맞은 단어를 <보기>에서 찾아 쓰세요.

| 보기 | bowl   medicine   help   until   started |

Every Chinese New Year, families make dumplings together. The tradient **a** _____ with a doctor long ago. He wanted to **b** _____ hungry and sick people. So he made dumpling soup with meat and **c** _____. Everyone had a **d** _____ of soup. They soon felt better. The doctor gave out the soup **e** _____ Chinese New Year's Eve.

Look Up

A 아래 그림에 알맞은 단어를 고르세요.

1

☐ sick
☐ hungry

2

☐ pot
☐ eve

3

☐ meat
☐ medicine

B 주어진 단어의 알맞은 우리말 뜻을 찾아 연결하세요.

1 together ·

· ~을 나눠 주다

2 give out ·

· (기분·몸이) 나아지다

3 finally ·

· 함께

4 feel better ·

· 마지막으로

C 우리말 해석에 맞도록 <보기>에서 알맞은 단어를 골라 빈칸에 쓰세요.

> 보기   until   know   soon

1 우리는 그 차 사고에 대해 알지 못했다.

→ We didn't _____ about the car accident.

2 그 요리사는 곧 수프를 만들 것이다.

→ The cook will make soup _____.

3 아빠는 자정까지 TV를 시청하셨다.

→ Dad watched TV _____ midnight.

CHAPTER 5 Mother Nature

MYTH 01

인도네시아의 화산은 약 76개나 된답니다.
그중 Bromo(브로모) 화산은 인도네시아에서
가장 성스러운 활화산이에요. 그래서
'신의 산'이라는 별명이 있어요.

Fire: Hot Volcano

wish for (- wished for)	~을 바라다
take (- took)	동 (사람을) 데리고 가다
last	형 마지막의
promise	명 약속 *make a promise 약속을 하다
voice	명 목소리, 음성
please (- pleased)	동 기쁘게 하다, 만족시키다

SCIENCE 02

바람은 두 장소의 기압차로 생기는 공기의
움직임이에요. 바람은 우리의 생활과 아주
밀접하게 관련이 있답니다. 바람은 우리를
시원하고 춥게 만들지만, 다른 여러 일들도 해요.

Wind: Moving Air

move (- moved)	동 움직이다, 이동시키다
terrible	형 끔찍한
place	명 장소, 곳
rain (- rained)	동 비가 오다 명 비
smoke	명 연기
dirty	형 더러운

VOCA

LIFESTYLE 03

지진은 1초만에 수많은 피해를 일으킬 수 있어요. 지진이 발생할 때 빠르게 대처하기 위해서는 평소에 지진에 대한 철저한 대비와 연습이 필요해요.

Earth: Shaking Ground

fall (- fell)	동 떨어지다
stay (- stayed)	동 머물다, 그대로 있다 *stay away from ~에서 떨어져 있다
follow (- followed)	동 1 (충고, 지시 등에) 따르다, 따라하다 2 따라가다, 따라오다
hurt (- hurt)	동 다치게 하다, 아프게 하다
practice (- practiced)	동 연습하다
actually	부 실제로, 정말로

NATURE 04

페루에는 신성한 장소로 알려진 강이 있어요. 과거에는 그 곳에 있는 악령 때문에 마을에서 가장 강력한 샤먼(주술사)만이 그곳에 가서 기도를 했답니다.

Water: Mysterious River

jungle	명 정글, 밀림 지대
part	명 부분
close	형 가까운 *close to ~에 가까운
heat	명 열, 열기
possible	형 가능한, 가능성 있는
deep	부 깊이, 깊은 곳에서

Fire: Hot Volcano

A princess and her husband **wished for** children. ⓐ <u>They</u> asked the gods from Mount Bromo, a volcano. The gods decided to give children. But they wanted to **take** the **last** child. The couple **made the promise**, and ⓑ <u>they</u> had 25 children.

When the last child was born, the couple kept the child. The gods were angry. So the volcano blew up. The gods took the child into the mountain. After that, villagers could hear a child's **voice** from the mountain. ⓒ <u>They</u> wanted to **please** the gods. So they held *ceremonies every year.

*ceremony 의식

●● **주요 단어와 표현**

volcano 화산   princess 공주   husband 남편   child 자식, 아이 *children 자식들, 아이들   ask(- asked) 부탁하다
mount 산 *mountain 산   decide to(- decided to) ~하기로 결정하다   have(- had) (아기를) 낳다   was[were] born
태어났다   keep(- kept) 계속 가지고 있다   blow up(- blew up) 폭발하다   villager 마을 사람   hold(- held) (행사, 의식 등
을) 거행하다, 열다

1

중심
생각

이 글은 무엇에 대해 설명하는 내용인가요?

① 공주의 막내 아이　　② Bromo 화산의 전설　　③ 신을 위한 특별한 제물

2

세부
내용

공주 부부에 대해 글의 내용과 맞는 것에는 ○표, 틀린 것에는 ✕표 하세요.

(a) 아이를 갖게 해달라고 신들에게 부탁했다.　　_____

(b) 그들의 막내 아이를 신들에게 바쳤다.　　_____

3

세부
내용

밑줄 친 ⓐ ~ ⓒ 중에서 가리키는 대상이 다른 하나를 고르세요.

① ⓐ　　　　② ⓑ　　　　③ ⓒ

4

빈칸
추론

아래 빈칸 (A)에 들어갈 말로 가장 알맞은 것을 고르세요.

> Villagers held ceremonies because they wanted to _____(A)_____ the gods.

① ask　　　　② take　　　　③ please

5

세부
내용

글에 등장하는 단어로 빈칸을 채워 보세요.

> The gods were _____ⓐ_____, so the _____ⓑ_____ blew up.

ⓐ: _____　　　　ⓑ: _____

Build Up 주어진 원인에 알맞은 결과를 연결하세요.

Cause | 원인

1 The couple kept the last child.

2 The gods decided to give children.

3 Villagers could hear a child's voice from the mountain.

Effect | 결과

(A) They held ceremonies every year.

(B) The volcano blew up.

(C) The couple had 25 children.

Sum Up 빈칸에 알맞은 단어를 <보기>에서 찾아 쓰세요.

보기   child   blew up   promise   wished for

A princess and her husband ⓐ _____ children. The gods from Mount Bromo gave many children to the couple. But they wanted the last ⓑ _____ from the couple. The couple made the ⓒ _____ . But they didn't give the child to the gods. The gods were angry, and Mount Bromo ⓓ _____ . They took the child into the mountain.

Look Up

A 아래 그림에 알맞은 단어를 고르세요.

1

- ☐ last
- ☐ angry

2

- ☐ voice
- ☐ promise

3
- ☐ take
- ☐ ask

B 주어진 단어의 알맞은 우리말 뜻을 찾아 연결하세요.

1 wish for •   • 계속 가지고 있다

2 keep •   • ~을 바라다

3 have •   • 마을 사람

4 villager •   • (아기를) 낳다

C 우리말 해석에 맞도록 <보기>에서 알맞은 단어를 골라 빈칸에 쓰세요.

보기	voice	take	promise

1 내가 차로 데려다줄게.

→ I will _____ you by car.

2 나에게 약속해 줄래?

→ Will you make a _____ to me?

3 그녀의 목소리는 부드러웠다.

→ Her _____ was soft.

Wind: Moving Air

Wind **moves** things like kites and clouds. But it does more than moving things. Without wind, **terrible** things would happen.

First, the heat would not move around the world. As a result, some **places** would get very hot. Other places would be very cold. Second, it would **rain** only near water. **Rain** clouds would not move. Many places would be dry. Third, because most places would be dry without rain, plants would _____(A)_____. The seeds would not take root or grow. Fourth, **smoke** from factories would not disappear. Air would be **dirty** and dangerous. Lastly, there would be no wind energy. Some places would not have power.

●● 🏃 **주요 단어와 표현**

air 공기   thing 물건, 사물; (상황) 일, 것   without ~이 없으면   would ~할[일] 것이다   happen 일어나다   first 첫째
*second 둘째   third 셋째   fourth 넷째   lastly 마지막으로   heat 열, 열기   around the world 전 세계로
as a result 그 결과   dry 건조한   seed 씨앗   take root 뿌리를 내리다   factory 공장   disappear 사라지다
dangerous 위험한   wind energy 풍력 에너지

Check Up

정답과 해설 p.44

1

중심
생각

이 글의 알맞은 제목을 고르세요.

① 공장이 사라진다면?

② 풍력 에너지가 없다면?

③ 바람이 불지 않는다면?

2

세부
내용

글의 내용과 맞는 것에는 ○표, 틀린 것에는 ✕표 하세요.

(a) 바람이 없으면, 비가 내리지 않는다. _____

(b) 바람이 없으면, 공기가 더러워질 것이다. _____

3

세부
내용

바람이 하는 일로 글에 **없는** 내용을 고르세요.

① 열을 이동시킨다.

② 꽃씨를 날려서 식물의 번식을 돕는다.

③ 공장의 연기를 사라지게 한다.

4

빈칸
추론

글의 빈칸 (A)에 들어갈 말로 가장 알맞은 것을 고르세요.

① die   ② move   ③ rain

5

중심
생각

글에 등장하는 단어로 빈칸을 채워 보세요.

> Wind does more than _____ ⓐ _____ things. Terrible things would _____ ⓑ _____ without it.

ⓐ : _____   ⓑ : _____

Build Up   주어진 원인에 알맞은 결과를 연결하세요.

Cause | 원인

1. The heat wouldn't move around the world.

2. Most places would be dry.

3. There would be no wind energy.

Effect | 결과

(A) Some places would not have power.

(B) The seeds would not take root or grow.

(C) Some places would get very hot.

 STEP 3

Sum Up   빈칸에 알맞은 단어를 <보기>에서 찾아 쓰세요.

보기   moves   heat   disappears   rains

Wind does many things. Because of wind, the (a)

moves around the world. Wind also (b)   rain clouds. So it

(c)   , and seeds take root and grow. Also, because of

wind, smoke from factories (d)   . Lastly, we get power

from wind energy.

Look Up

A 아래 그림에 알맞은 단어를 고르세요.

①

☐ rain
☐ smoke

②

☐ dirty
☐ dangerous

③

☐ move
☐ take root

B 주어진 단어의 알맞은 우리말 뜻을 찾아 연결하세요.

① heat   •

② dry   •

③ factory   •

④ terrible   •

  • 건조한

  • 열

  • 끔찍한

  • 공장

C 우리말 해석에 맞도록 <보기>에서 알맞은 단어를 골라 빈칸에 쓰세요.

보기	place moved rain

① 그녀는 자신의 책상을 문 옆으로 옮겼다.

→ She _____ her desk next to the door.

② 너의 우산을 가져가렴. 오늘 밤에 비가 올 거야.

→ Take your umbrella. It will _____ tonight.

③ 이 공원은 아름다운 장소이다.

→ This park is a beautiful _____.

Earth: Shaking Ground

An earthquake can happen suddenly. When an earthquake starts, many things can **fall** on you. Find a safe place when you are inside a building. But the kitchen is a dangerous place. Don't **stay** there.

Follow these steps: Drop, Cover, and Hold. First, drop under a table or a desk. Next, cover your head and neck with your hands and arms. But stay away from windows. Broken glass can **hurt** you. Last, hold on to the table or the desk.

Learn and **practice** those steps. They can **actually** save your life!

●● ▶ 주요 단어와 표현

earth 대지, 땅   shaking 흔들리는   ground 땅   earthquake 지진   suddenly 갑자기   safe(↔ dangerous) 안전한 (↔ 위험한)   inside ~의 안에   there 그곳에   step 단계   drop 낮추다, 떨어뜨리다   cover 감싸다 *cover A with B A를 B로 감싸다   hold ~을 잡다 *hold on to ~을 붙잡다   broken glass 깨진 유리   learn 배우다, 익히다   save 구하다 life 생명

1 이 글은 무엇에 대해 설명하는 내용인가요?

중심
생각

① 지진 대피 장소

② 지진 시 행동 요령

③ 지진이 생기는 이유

2 글의 내용과 맞는 것에는 ○표, **틀린** 것에는 ✕표 하세요.

세부
내용

(a) 지진은 갑자기 일어날 수 있다. _____

(b) 실내에서 가장 안전한 장소는 부엌이다. _____

3 지진이 일어났을 때 취해야 하는 행동이 <u>아닌</u> 것을 고르세요.

세부
내용

① 창문 아래로 몸을 낮춘다.

② 머리와 목을 두 팔로 감싼다.

③ 탁자나 책상을 붙잡는다.

4 글에 등장하는 단어로 빈칸을 채워 보세요.

중심
생각

> When an _____ⓐ_____ happens, find a _____ⓑ_____ place.

ⓐ: _____   ⓑ: _____

STEP 2 Build Up

빈칸에 알맞은 단어를 <보기>에서 찾아 쓰고, 순서에 맞게 번호를 쓰세요.

보기　　　　table　　arms　　under　　head

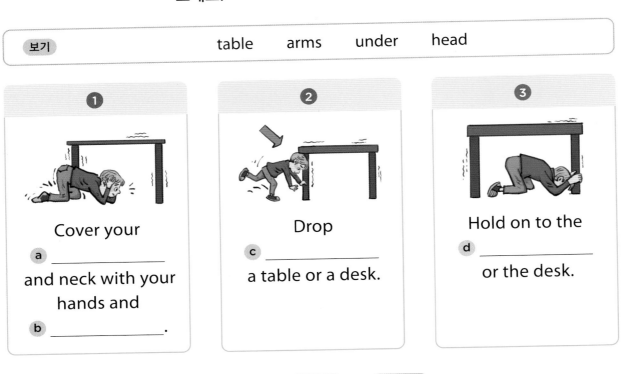

1

Cover your

a _____

and neck with your hands and

b _____.

2

Drop

c _____

a table or a desk.

3

Hold on to the

d _____

or the desk.

[　] → [　] → [　]

STEP 3 Sum Up

빈칸에 알맞은 단어를 <보기>에서 찾아 쓰세요.

보기　　　　find　　fall　　hurt　　stay　　follow

　During an earthquake, many things can a _____ on you. When you are inside a building, b _____ a safe place. Don't stay in the kitchen. c _____ these steps: Drop, Cover, and Hold. Also, d _____ away from windows. Broken glass can e _____ you.

Look Up

A 아래 그림에 알맞은 단어를 고르세요.

1

☐ stay
☐ drop

2

☐ hurt
☐ hold

3

☐ cover
☐ practice

B 주어진 단어의 알맞은 우리말 뜻을 찾아 연결하세요.

1 suddenly ·

2 follow ·

3 learn ·

4 actually ·

· 배우다

· 실제로

· 갑자기

· (충고, 지시 등을) 따르다

C 우리말 해석에 맞도록 <보기>에서 알맞은 단어를 골라 빈칸에 쓰세요.

| 보기 | stay | fall | practice |

1 나뭇잎들은 10월에 떨어지기 시작한다.

→ Leaves begin to _____ in October.

2 나는 방과 후에 바이올린을 연습한다.

→ I _____ the violin after school.

3 집 안에 머무르자.

→ Let's _____ in the house.

Water: Mysterious River

In a **jungle** in Peru, there is a special river. The hottest **part** of the river is **close to** 100℃. Because the river is boiling, it has different names: *the Boiling River*, *La Bomba*, and *Shanay timpishka*.

Shanay timpishka means "boiling with the **heat** of the sun." Actually, the heat is not from the sun. There are two **possible** reasons. First, there is hot water **deep** under the earth. The river's water may come from there. Second, the river may be ____(A)____ because of the oil and gas near it.

● ● **주요 단어와 표현**

mysterious 신비한, 불가사의한   river 강   special 특별한   the hottest 가장 뜨거운   boil 끓다   different 여러 가지의, 다양한   mean 의미하다   reason 이유   may ~일지도 모른다   come from ~에서 나오다   oil 석유, 기름   gas 가스

Check Up

1

중심
생각

이 글은 무엇에 대해 설명하는 내용인가요?

① 페루의 다양한 강

② 페루 정글의 특별한 강

③ 태양열이 미치는 영향

2

세부
내용

글의 내용과 맞는 것에는 O표, 틀린 것에는 ✕표 하세요.

(a) 강의 가장 뜨거운 부분은 약 100도이다. _____

(b) La Bomba는 강의 이름 중 하나이다. _____

3

세부
내용

강이 뜨거운 이유가 아닌 것을 고르세요.

① 태양에서 나오는 열기 때문에

② 깊은 지하에서 물이 나오기 때문에

③ 강 근처의 석유와 가스 때문에

4

빈칸
추론

글의 빈칸 (A)에 들어갈 말로 가장 어색한 것을 고르세요.

① hot   ② close   ③ boiling

5

세부
내용

글에 등장하는 단어로 빈칸을 채워 보세요.

A special river in Peru has different ⓐ _____ because the
hottest part of it is ⓑ _____ to 100℃.

ⓐ: _____   ⓑ: _____

Build Up

글을 읽고, 빈칸에 <보기>의 단어를 채워 '뜨거운 강'에 대한 설명을 완성하세요.

보기	close　　　deep　　　names　　　near

Where is the river?	It's in a jungle in Peru.
What are the ⓐ _____ of the river?	They are *the Boiling River*, *La Bomba*, and *Shanay timpishka*.
How hot is the river?	It's ⓑ _____ to 100℃.
Why is the river hot?	• There is hot water ⓒ _____ under the earth. • The oil and gas are ⓓ _____ the river.

 STEP 3

Sum Up

빈칸에 알맞은 단어를 <보기>에서 찾아 쓰세요.

보기	hottest　　　reasons　　　special　　　river　　　water

There is something ⓐ _____ about a river in Peru. The

ⓑ _____ part of it is close to 100℃. There are two possible

ⓒ _____ for that. One is because of hot ⓓ _____

deep under the earth. The other is because of the oil and gas near the

ⓔ _____ .

Look Up

A 아래 그림에 알맞은 단어를 고르세요.

1

☐ oil
☐ heat

2

☐ river
☐ jungle

3

☐ part
☐ reason

B 주어진 단어의 알맞은 우리말 뜻을 찾아 연결하세요.

1 close ·
2 special ·
3 different ·
4 boil ·

· 여러 가지의
· 끓다
· 가까운
· 특별한

C 우리말 해석에 맞도록 <보기>에서 알맞은 단어를 골라 빈칸에 쓰세요.

보기	jungle	possible	deep

1 우리는 동굴 안으로 깊이 걸어갔다.

→ We walked _____ into the cave.

2 이 답은 가능하지 않아.

→ This answer is not _____.

3 정글에는 많은 동물들이 있다.

→ There are many animals in the _____.

MEMO

MEMO

왓츠 What's Grammar

**왓츠그래머 시리즈로
영문법의 기초를 다져보세요!**

1 초등 교과 과정에서 필수인 문법 사항 총망라
2 세심한 난이도 조정으로 학습 부담은 DOWN
3 중, 고등 문법을 대비하여 탄탄히 쌓는 기초

Start

아이들이 영문법을 처음 접한다면?

초등 저학년을 위한 기초 문법서

+Plus

기초 문법 개념을 한 바퀴 돌렸다면?

초등 고학년을 위한 기초 & 심화 문법서

초등학생을 위한 필수 기초 & 심화 문법

1

초등 기초 & 심화 문법
완성을 위한 3단계 구성

2

누적·반복 학습이 가능한
나선형 커리큘럼

3

쉽게 세분화된 문법 항목과
세심하게 조정된 난이도

4

유닛별 누적 리뷰 테스트와
파이널 테스트 2회분 수록

5

워크북과 단어쓰기
연습지로 완벽하게 복습

쎄듀북닷컴(www.cedubook.com)에서 부가 자료를 무료로 다운로드할 수 있습니다.

쎄듀

1 구문 — 판매 1위 '천일문' 콘텐츠를 활용하여 정확하고 다양한 구문 학습

(끊어읽기) (해석하기) (문장 구조 분석) (해설·해석 제공) (단어 스크램블링) (영작하기)

2 문법·서술형 — 쎄듀의 모든 문법 문항을 활용하여 내신까지 해결하는 정교한 문법 유형 제공

(객관식과 주관식의 결합) (문법 포인트별 학습) (보기를 활용한 집합 문항) (내신대비 서술형) (어법+서술형 문제)

3 어휘 — 초·중·고·공무원까지 방대한 어휘량을 제공하며 오프라인 TEST 인쇄도 가능

(영단어 카드 학습) (단어 ↔ 뜻 유형) (예문 활용 유형) (단어 매칭 게임)

4 선생님 보유 문항 이용

(Online Test) (OMR Test)

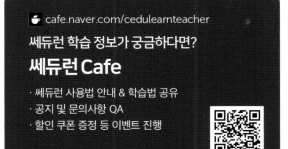

cafe.naver.com/cedulearnteacher

쎄듀런 학습 정보가 궁금하다면?

쎄듀런 Cafe

· 쎄듀런 사용법 안내 & 학습법 공유
· 공지 및 문의사항 QA
· 할인 쿠폰 증정 등 이벤트 진행

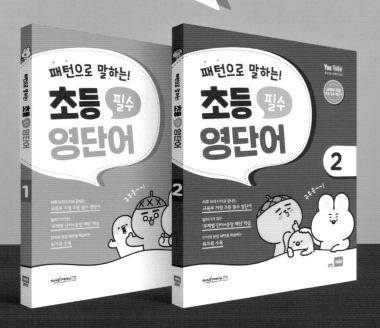

What's Reading

왓츠 리딩

Words

80 B

• WORKBOOK •

A Happy Day

A 주어진 의미에 맞는 단어를 <보기>에서 골라 빈칸을 채우세요.

| 보기 | lose   water   clean   forget   happen   same   do |

동사 청소하다	You must ❶ _____ your room. 너는 네 방을 <u>청소해야</u> 한다.
동사 잃어버리다	Do not ❷ _____ your key. 네 열쇠를 <u>잃어버리지</u> 마라.
부사 똑같이 형용사 같은, 동일한	My sister and I dress the ❸ _____. 내 언니와 나는 <u>똑같이</u> 옷을 입는다.
동사 (행동, 일을) 하다	I didn't ❹ _____ my homework. 나는 내 숙제를 <u>하지</u> 않았다.
동사 (일, 사건이) 일어나다, 발생하다	Accidents can ❺ _____ anywhere. 사고는 어디에서나 <u>일어날</u> 수 있다.
동사 (화초 등에) 물을 주다	They ❻ _____ the flowers every day. 그들은 매일 꽃에 <u>물을 준다</u>.
동사 잊다	Don't ❼ _____ to call me. 나에게 전화하는 것을 <u>잊지</u> 마.

B 주어진 단어의 알맞은 우리말 뜻을 찾아 연결하세요.

❶ nothing   •   •   아무것도 (~아니다)

❷ minute   •   •   일어나다

❸ wake up   •   •   (시간 단위의) 분

C 아래 문장에서 주어에는 ○표, 동사에는 밑줄을 치세요.

> 보기 | (I)forgot everything today.

1 He made toast for five minutes.

2 They found Jake's dog!

3 Bob went and helped him all day.

4 Bob! Help me!

D 주어진 우리말과 뜻이 같도록 문장을 완성해 보세요.

1 Bob은 똑같이 모든 것을 했다 / 매일.

→ _____, / every day.

(everything / the same / did / Bob)

2 끔찍한 아무 일도 일어나지 않을 거야 / 오늘.

→ _____ / today.

(happen / will / nothing / terrible)

3 Bob은 행복했다 // 그가 친구를 도와줬기 때문에.

→ Bob was happy // _____.

(a friend / because / helped / he)

4 그는 생각했다, // "나는 오늘 모든 것을 잊어버렸어."

→ He thought, // "_____."

(today / forgot / I / everything)

02 A Happy Country

A 주어진 의미에 맞는 단어를 <보기>에서 골라 빈칸을 채우세요.

보기   often   ask   many   money   half   top

명사 맨 위, 꼭대기	He arrived at the ❶＿＿＿ of the mountain. 그는 산 정상에 도착했다.
명사 돈	We buy things with ❷＿＿＿. 우리는 돈으로 물건들을 산다.
부사 자주, 종종	How ❸＿＿＿ do you visit here? 당신은 얼마나 자주 이곳을 방문하나요?
동사 묻다, 질문하다	Let's ❹＿＿＿ her about the game. 그녀에게 그 게임에 대해 물어보자.
명사 반, 절반	Eight is ❺＿＿＿ of sixteen. 8은 16의 절반이다.
대명사 많은 사람, 다수 형용사 많은, 다수의	❻＿＿＿ of the students study in the school library. 그 학생들 중 다수는 학교 도서관에서 공부한다.

B 주어진 단어의 알맞은 우리말 뜻을 찾아 연결하세요.

❶ show   ·   ·   회사

❷ about   ·   ·   보여 주다

❸ company   ·   ·   ～에 대하여; 약, 대략

C 아래 문장에서 주어에는 ○표, 동사에는 밑줄을 치세요.

> 보기   (They) also <u>look</u> at money, freedom, and donations.

❶ A company makes the World Happiness Report every year.

❷ The report shows a list of happy countries.

❸ The researchers ask around 150 countries about happiness.

❹ And Finland shows it.

D 주어진 우리말과 뜻이 같도록 문장을 완성해 보세요.

❶ 핀란드는 자주 있다 / 그 목록의 맨 위에.

→ Finland is often / _____.

(of / the top / the list / at)

❷ 그 나라는 가장 부유하지 않다 / 북유럽에서.

→ _____ / in Northern Europe.

(is / the country / the richest / not)

❸ 그들 중 많은 사람들은 또한 자원봉사 활동을 한다.

→ _____.

(volunteer work / also / do / many of them)

❹ 결국, / 여러분은 돈으로 행복을 살 수 없다.

→ After all, / _____.

(you / with / can't buy / money / happiness)

A Happy Couple

A 주어진 의미에 맞는 단어를 <보기>에서 골라 빈칸을 채우세요.

> 보기   poor question forever travel enough rich meet

동사 만나다	We will ❶＿＿＿ again soon. 우리는 곧 다시 <u>만날</u> 것이다.
명사 질문	I had a ❷＿＿＿ for her. 나는 그녀에게 <u>질문</u>이 있었다.
부사 영원히	I will remember him ❸＿＿＿. 나는 그를 <u>영원히</u> 기억할 것이다.
형용사 충분한, 　　　필요한 만큼의	The money wasn't ❹＿＿＿ for the car. 돈은 그 차를 살 만큼 <u>충분하지</u> 않았다.
형용사 돈 많은, 부유한	He became ❺＿＿＿ from his song. 그 남자는 그의 노래로 <u>부유</u>해졌다.
형용사 가난한	He wants to help ❻＿＿＿ children. 그는 <u>가난한</u> 아이들을 돕고 싶어 한다.
동사 (먼 곳을) 여행하다	She will ❼＿＿＿ around the world. 그녀는 전 세계를 <u>여행할</u> 것이다.

B 주어진 단어의 알맞은 우리말 뜻을 찾아 연결하세요.

❶ look for　　•

•　그 밖에

❷ else　　•

•　필요하다

❸ need　　•

•　～을 찾다

C 아래 문장에서 주어에는 ○표, 동사에는 밑줄을 치세요.

> 보기　(They) <u>met</u> a rich couple.

❶ But they looked happy.

❷ The family didn't have enough food.

❸ Are you the happiest couple?

❹ A young couple wanted to be happy forever.

D 주어진 우리말과 뜻이 같도록 문장을 완성해 보세요.

❶ 그들은 가장 행복한 부부를 찾았다.

→ _____ .

(couple / looked for / the happiest / they)

❷ 젊은 부부는 만났다 / 많은 자식을 둔 한 부부를.

→ The young couple met / _____ .

(with / a couple / many children)

❸ 젊은 부부는 물었다, // "당신들은 왜 행복합니까?"

→ The young couple asked, // "_____?"

(you / happy / why / are)

❹ 나는 내 가족이 있어요. 당신은 그 밖에 무엇이 필요한가요?

→ I have my family. _____ ?

(you / need / do / what else)

CHAPTER 1

04 A Happy Town

A 주어진 의미에 맞는 단어를 <보기>에서 골라 빈칸을 채우세요.

> 보기   town   team   beautiful   beautifully   study   grow

명사 (일을 함께 하는) 팀	She was in a soccer ❶ _____ . 그녀는 축구팀에 있었다.
형용사 아름다운	The white bird was ❷ _____ . 그 흰 새는 정말 아름다웠다.
동사 1. ~해지다, ~하게 되다 2. 자라다, 크다	The city will ❸ _____ bigger. 도시는 더 커질 것이다.
부사 아름답게	Kate dances ❹ _____ . Kate는 아름답게 춤춘다.
명사 (소)도시, 마을	The ❺ _____ is near the river. 그 도시는 강 근처에 있다.
동사 1. 연구하다 2. 공부하다	Some scientists ❻ _____ poisons. 몇몇 과학자들은 독을 연구한다.

B 주어진 단어의 알맞은 우리말 뜻을 찾아 연결하세요.

❶ different   •   •   평화로운

❷ nature   •   •   자연

❸ peaceful   •   •   다른

C 아래 문장에서 주어에는 ○표, 동사에는 밑줄을 치세요.

> 보기 (The answer) is yes.

1 People see it every day and feel happy.

2 Many trees create beautiful scenery in the towns.

3 Also, birds sing beautifully.

4 Many kinds of birds live in the towns.

D 주어진 우리말과 뜻이 같도록 문장을 완성해 보세요.

1 사람들은 행복해질 수 있는가 / 새 때문에?

→ _____ / because of birds?

(happy / can / become / people)

2 우선, / 자연은 더 아름다워진다 / 새들로.

→ First, / _____ / with birds.

(nature / more / becomes / beautiful)

3 많은 새가 있는 도시들은 / 많은 나무가 있다.

→ _____ / _____.

(many birds / many trees / with / have / towns)

4 그들의 행복은 더 커진다.

→ _____.

(bigger / their / grows / happiness)

Sun, Moon, and Ocean

A 주어진 의미에 맞는 단어를 <보기>에서 골라 빈칸을 채우세요.

| 보기 | night throw jealous together decide call day |

동사 던지다	**①** _____ the baseball to me! 그 야구공을 내게 <u>던져</u>!
동사 결심하다	Where did you **②** _____ to live? 너는 어디에서 살기로 <u>결심했니</u>?
명사 낮	During the **③** _____, it rained. <u>낮</u> 동안에, 비가 왔다.
형용사 질투하는	Jenny was **④** _____ when I won. 내가 이겼을 때, Jenny는 <u>질투했다</u>.
동사 (~라고) 이름 짓다	They will **⑤** _____ her Kate. 그들은 그녀를 Kate라고 <u>이름 지을</u> 것이다.
부사 함께, 같이	Let's play soccer **⑥** _____! <u>같이</u> 축구 하자!
명사 밤	He can't sleep well at **⑦** _____. 그는 <u>밤</u>에 잠을 잘 자지 못한다.

B 주어진 단어의 알맞은 우리말 뜻을 찾아 연결하세요.

① attack   •   •   바다

② wall   •   •   벽

③ ocean   •   •   공격하다

C 아래 문장에서 주어에는 ○표, 동사에는 밑줄을 치세요.

> 보기 (The Moon) made many sparks.

❶ They wanted to attack the Sun.

❷ The three friends were happy.

❸ One day, the Ocean made waves for the Moon.

❹ They loved the Ocean, and the Ocean loved them.

D 주어진 우리말과 뜻이 같도록 문장을 완성해 보세요.

❶ Sun과 Moon은 항상 함께 있었다.

→ The Sun and the Moon _____ .

(together / were / always)

❷ Star들은 화가 났다 / Sun에게.

→ _____ / at the Sun.

(were / the Stars / angry)

❸ 그는 Moon을 던졌다 / 멀리!

→ _____ / far away!

(the Moon / threw / he)

❹ 그리고 Star들은 항상 Moon을 따라다녔다.

→ And _____ .

(always / the Moon / the Stars / followed)

02 Shooting Stars

A 주어진 의미에 맞는 단어를 <보기>에서 골라 빈칸을 채우세요.

보기	story	both	see	sometimes	come true	look for

동사 (눈으로) 보다	I want to ❶ _____ the pictures. 나는 그 사진들을 보고 싶다.
부사 가끔, 때때로	Dad ❷ _____ cooks dinner for us. 아빠는 가끔 우리를 위해 저녁을 요리하신다.
명사 이야기	I read a ❸ _____ about happiness. 나는 행복에 관한 이야기를 읽었다.
대명사 (양쪽) 둘 다	Tina and Sam are ❹ _____ tall. Tina와 Sam은 둘 다 키가 크다.
~을 찾다	Let's ❺ _____ the girl. 그 여자아이를 찾아보자.
이루어지다, 실현되다	Your dream will ❻ _____ . 너의 꿈이 이루어질 것이다.

B 주어진 단어의 알맞은 우리말 뜻을 찾아 연결하세요.

❶ earth   •

  • 생각하다

❷ scientist   •

  • 과학자

❸ think   •

  • 지구

C 아래 문장에서 주어에는 〇표, 동사에는 밑줄을 치세요.

> 보기   <u>Look for</u> a shooting star.

❶ They looked down at the earth.

❷ Later, a scientist wrote about shooting stars.

❸ Then stars would fall from there.

❹ The gods may hear your wish.

D 주어진 우리말과 뜻이 같도록 문장을 완성해 보세요.

❶ 기독교인들은 생각했다 // 그것들이 천사들이라고.

   → Christians thought // _____ .

   (angels / they / that / were)

❷ 그들은 둘 다 ~에 소원을 빌기 시작했다 / 별똥별.

   → _____ / a shooting star.

   (started / they both / to wish upon)

❸ 신들은 가끔 하늘을 열었다.

   → _____ .

   (the gods / the skies / sometimes / opened up)

❹ 당신의 소원이 이루어질지도 모른다.

   → _____ .

   (come true / may / your wish)

Drawing in the Sky

A 주어진 의미에 맞는 단어를 <보기>에서 골라 빈칸을 채우세요.

> 보기   go camping   lucky   draw   look at   clear   finger

동사 캠핑하러 가다	In fall, people ❶ in the forest. 가을에, 사람들은 숲에서 <u>캠핑하러 간다</u>.
동사 (그림을) 그리다	Lucy loves to ❷ with a pencil. Lucy는 연필로 <u>그리는</u> 것을 아주 좋아한다.
명사 손가락	He hurt his ❸ . 그는 <u>손가락</u>을 다쳤다.
~을 보다, 살피다	❹ this big fish! 이 큰 물고기를 <u>봐</u>!
형용사 (날씨가) 맑은	The sky is very ❺ . 하늘이 매우 <u>맑다</u>.
형용사 운이 좋은, 행운의	It's my ❻ number. 그것은 나의 <u>행운의</u> 숫자이다.

B 주어진 단어의 알맞은 우리말 뜻을 찾아 연결하세요.

❶ anything •   • 설치하다

❷ add •   • 아무것도

❸ set up •   • 덧붙여 말하다

C 아래 문장에서 주어에는 〇표, 동사에는 밑줄을 치세요.

> 보기   In summer, (my dad and I) <u>go</u> camping.

❶ I didn't see anything.

❷ One night, the sky was very clear.

❸ We set up our tent and make a campfire.

❹ Then Dad started to draw with his finger.

D 주어진 우리말과 뜻이 같도록 문장을 완성해 보세요.

❶ 밤에, / 우리는 별들을 본다 / 하늘에 있는.

→ At night, / _____ / in the sky.

(the stars / look at / we)

❷ 우리가 운이 좋을 때, // 우리는 별똥별을 본다.

→ _____, // we see shooting stars.

(are / we / when / lucky)

❸ 정말 많은 별들이 있었다.

→ _____.

(were / stars / there / so many)

❹ 저것은 백조처럼 보인다.

→ _____.

(that one / a swan / looks like)

The Sky Has Everything

A 주어진 의미에 맞는 단어를 <보기>에서 골라 빈칸을 채우세요.

보기	answer use show home still plan

[명사] 답, 해답	The ❶ _____ is correct. 그 답은 맞다.
[명사] 집	On weekends, I stay at ❷ _____. 주말에, 나는 집에 머문다.
[동사] 보여 주다	I didn't ❸ _____ it to anyone. 나는 아무에게도 그것을 보여 주지 않았다.
[동사] 사용하다, 이용하다	Can I ❹ _____ your phone? 제가 당신의 전화를 사용해도 될까요?
[동사] 계획하다	Let's ❺ _____ a trip to Europe. 유럽 여행을 계획하자.
[부사] 여전히, 아직도	I'm ❻ _____ hungry. 나는 여전히 배고프다.

B 주어진 단어의 알맞은 우리말 뜻을 찾아 연결하세요.

❶ study ·   · 여행자

❷ calendar ·   · 달력

❸ traveler ·   · 연구하다

C 아래 문장에서 주어에는 ○표, 동사에는 밑줄을 치세요.

> 보기 Long ago, (humans) <u>looked for</u> answers in the sky.

❶ They sometimes plan their day with them.

❷ Farmers used the sky as a calendar.

❸ Travelers followed the stars and found their way.

❹ Babylonians watched and first studied the sky.

D 주어진 우리말과 뜻이 같도록 문장을 완성해 보세요.

❶ 그들은 열두 개의 별자리를 생각해 냈다.

→ _____ .

(star signs / came up with / they / twelve)

❷ 별자리는 한 해 중의 시기를 보여 주었다.

→ _____ .

(the time of the year / the star signs / showed)

❸ 사람들은 또한 별을 보았다 / 조언을 구하려고.

→ _____ / for advice.

(the stars / also looked at / people)

❹ 어떤 사람들은 그들의 별자리를 찾는다 / 신문에서.

→ _____ / in the newspaper.

(find / some people / their star signs)

01 Kate's Art

A 주어진 의미에 맞는 단어를 <보기>에서 골라 빈칸을 채우세요.

| 보기 | sign   bottle   used   art   throw away   find |

동사 찾다, 발견하다	I can't ❶ _____ my glasses. 내 안경을 못 <u>찾겠어</u>.
명사 병	Open this ❷ _____ for me. 저를 위해 이 <u>병</u>을 열어 주세요.
명사 미술품	The room is full of beautiful ❸ _____ . 그 방은 아름다운 <u>미술품</u>으로 가득 찼다.
명사 표지판, 간판	The ❹ _____ says, "stop." 그 <u>표지판</u>은 '정지'라고 쓰여 있다.
버리다, 없애다	❺ _____ this old chair. 이 낡은 의자를 <u>버려 주세요</u>.
형용사 사용된, 중고의	This place sells ❻ _____ books. 이곳은 <u>중고</u> 책을 판매한다.

B 주어진 단어의 알맞은 우리말 뜻을 찾아 연결하세요.

❶ show   •   • 예술가

❷ artist   •   • 전시회

❸ glue   •   • 풀, 접착제

C 아래 문장에서 주어에는 ○표, 동사에는 밑줄을 치세요.

> 보기 First, (Kate) <u>saw</u> dolls.

① It was a new picture frame!

② We can make art with used things.

③ Kate wanted to throw away her old toys.

④ At home, Kate found glue and small pieces of her old toys.

D 주어진 우리말과 뜻이 같도록 문장을 완성해 보세요.

① 그녀의 아빠는 미술 전시회에 그녀를 데리고 갔다 / 공원에 있는.

→ _____ / in the park.

(her / her dad / to an art show / took)

② 표지판이 있었다, // '재활용하세요! 재사용하세요! 미술품을 만들어요!'

→ _____, // "Recycle! Reuse! Make Art!"

(was / a sign / there)

③ 한 예술가는 인형들을 만들었다 / 헌 옷 조각들로.

→ An artist made dolls / _____.

(old clothes / with / pieces of)

④ Kate는 미술품을 만들고 싶었다 / 그녀의 오래된 장난감들로.

→ _____ / with her old toys.

(make / wanted to / Kate / art)

Wangari's Umbrella

A 주어진 의미에 맞는 단어를 <보기>에서 골라 빈칸을 채우세요.

| 보기 | under   like   return   plant   each   tell |

동사 돌아오다, 되돌아가다	She wanted to ❶ to her hometown. 그녀는 자기 고향으로 <u>되돌아가길</u> 원했다.
동사 알리다, 말하다	I will ❷ you about the homework. 내가 너에게 숙제에 대해 <u>알려줄게</u>.
동사 (식물을) 심다 명사 식물	On April 5th, we ❸ trees. 4월 5일에, 우리는 나무를 <u>심는다</u>.
대명사 각각, 각자	❹ country has its own culture. <u>각</u> 나라는 고유한 문화를 가지고 있다.
전치사 ~와 비슷한	This fish looks ❺ a snake. 이 물고기는 <u>뱀처럼</u> 보인다.
전치사 ~의 아래에	My cat is hiding ❻ the bed. 내 고양이는 침대 <u>아래에</u> 숨어 있다.

B 주어진 단어의 알맞은 우리말 뜻을 찾아 연결하세요.

❶ umbrella ·   · 마을

❷ desert ·   · 우산

❸ village ·   · 사막

C 아래 문장에서 주어에는 ○표, 동사에는 밑줄을 치세요.

> 보기 Six years later, (she) returned home to Kenya.

❶ She told the village women about planting trees.

❷ She then went to America and studied there.

❸ But her home changed.

❹ The green umbrella in Kenya came back.

D 주어진 우리말과 뜻이 같도록 문장을 완성해 보세요.

❶ Wangari의 고향은 사막과 비슷했다.

→ _____ .

(like / was / Wangari's home / a desert)

❷ Wangari는 나무를 심었다 / 그녀의 뒷마당에.

→ _____ / in her backyard.

(trees / planted / Wangari)

❸ 그녀는 어린 나무를 주었다 / 여자들 각각에게.

→ _____ / to each of the women.

(gave / she / a small tree)

❹ 어린 나무들은 뿌리를 내렸다 / 그리고 키가 커졌다.

→ _____ / _____ .

(took root / and / the small trees / grew tall)

Small Change

A 주어진 의미에 맞는 단어를 <보기>에서 골라 빈칸을 채우세요.

보기   power   scared   burn   careful   save   warm   turn off

동사 (불에) 태우다	We ❶ _____ wood and stay warm. 우리는 나무를 <u>태워</u> 따뜻하게 유지한다.
동사 절약하다, 아끼다	Everyone needs to ❷ _____ water. 모두가 물을 <u>절약해야</u> 한다.
형용사 무서워하는, 겁먹은	I was ❸ _____ of trees at night. 나는 밤에 나무들을 <u>무서워했다</u>.
(전기, 수도 등을) 끄다, 잠그다	❹ _____ the light when you leave. 네가 떠날 때 불을 <u>꺼라</u>.
형용사 신경을 쓰는, 소중히 하는	Be ❺ _____ of your health. 건강을 <u>신경 쓰세요</u>.
형용사 따뜻한	Put on some ❻ _____ clothes. 따뜻한 옷을 좀 입어라.
명사 전기, 전력	Many houses lost ❼ _____ just now. 많은 집들은 지금 방금 <u>전력</u>을 잃었다.

B 주어진 단어의 알맞은 우리말 뜻을 찾아 연결하세요.

❶ calm   •   •   침착한, 차분한

❷ change   •   •   ~을 입다

❸ put on   •   •   변화

C 아래 문장에서 주어에는 ○표, 동사에는 밑줄을 치세요.

> 보기   So ⟨I⟩ <u>decided</u> to be more careful.

❶ Everything became dark.

❷ But my brother, Bobby, was calm.

❸ Because of energy, our house is warm.

❹ One night, the power went out at home.

D 주어진 우리말과 뜻이 같도록 문장을 완성해 보세요.

❶ 그는 말했다, // "우리는 너무 많은 에너지를 사용했어."

→ He said, // "_____."

(too much / used / we / energy)

❷ 우리는 신경 쓰지 않는다 / 너무 많은 에너지를 사용하는 것에 대해.

→ _____ / about using too much energy.

(careful / not / we / are)

❸ 나는 스웨터를 입는다 / 추울 때.

→ I put on a sweater / _____.

(is / cold / it / when)

❹ 누구나 작은 것들로 시작할 수 있다.

→ _____.

(little things / everyone / can / with / start)

04 Safe Water

A 주어진 의미에 맞는 단어를 <보기>에서 골라 빈칸을 채우세요.

보기   drink   clean   think   thought   share   bring

[명사] 생각	A ❶ _____ came to me about the new house. 나는 새로운 집에 대한 <u>생각</u>이 떠올랐다.
[동사] 생각하다	What do you ❷ _____ about his idea? 그의 의견에 대해 어떻게 <u>생각해</u>?
[동사] (물 등을) 마시다	I don't like to ❸ _____ soda. 나는 탄산음료를 <u>마시는</u> 것을 좋아하지 않는다.
[동사] (남과) 함께 나누다, (남에게) 말하다	Will you ❹ _____ a pizza with me? 나와 피자를 <u>나눠</u> 먹을래?
[동사] 가져오다	Money doesn't ❺ _____ happiness. 돈이 행복을 <u>가져오지는</u> 않는다.
[형용사] 깨끗한	This shirt is not ❻ _____ . 이 셔츠는 <u>깨끗하지</u> 않다.

B 주어진 단어의 알맞은 우리말 뜻을 찾아 연결하세요.

❶ problem   •   •   (어떤 상태가) 되다; 얻다

❷ great   •   •   문제

❸ get   •   •   큰, 엄청난

C 아래 문장에서 주어에는 ○표, 동사에는 밑줄을 치세요.

> 보기 (March 22nd) <u>is</u> a special day.

① We don't think about this often.

② Those changes are small.

③ Many people still drink dirty water.

④ On World Water Day, share your thoughts and stories about water.

D 주어진 우리말과 뜻이 같도록 문장을 완성해 보세요.

① 때때로 그들은 더러운 물로 인해서 병에 걸린다.

→ Sometimes _____.

(they / from / get sick / dirty water)

② 물을 아끼려고 노력하라 / 하루 동안.

→ _____ / for one day.

(save / water / try to)

③ 수도를 잠가라 / 당신이 이를 닦을 때.

→ Turn off the water / _____.

(you / your teeth / when / brush)

④ 그것들은 커다란 변화를 가져올 수 있다 / 우리 세계에.

→ _____ / to our world.

(change / they / can / great / bring)

The Ugly Dumpling

A 주어진 의미에 맞는 단어를 <보기>에서 골라 빈칸을 채우세요.

> 보기   ugly   different   friend   show up   leave   join

동사 (장소에서) 떠나다	We will ❶ _____ the city this weekend. 우리는 이번 주말에 도시를 <u>떠날</u> 것이다.
동사 함께 하다, 합류하다	I will ❷ _____ you soon at the library. 나는 곧 도서관에서 너와 <u>합류할게</u>.
형용사 못생긴, 보기 싫은	He has an ❸ _____ scar on his hand. 그는 손에 <u>보기 싫은</u> 흉터가 있다.
형용사 다른, 차이가 나는	Susie is ❹ _____ from other girls. Susie는 다른 여자아이들과 <u>다르다</u>.
명사 친구	You can always talk to your ❺ _____ . 너는 언제나 네 <u>친구</u>에게 이야기할 수 있다.
나타나다	She will ❻ _____ in a minute. 그녀는 곧 <u>나타날</u> 거야.

B 주어진 단어의 알맞은 우리말 뜻을 찾아 연결하세요.

❶ look   •   • ～인 채로 있다

❷ dirty   •   • ～해 보이다

❸ stay   •   • 더러운, 지저분한

C 아래 문장에서 주어에는 ◯표, 동사에는 밑줄을 치세요.

> 보기 (He) <u>didn't have</u> friends.

① He wanted to join the other buns.

② But the other buns didn't like the mouse.

③ Then the ugly dumpling found another ugly dumpling.

④ After all, the ugly dumpling was different from the other buns.

D 주어진 우리말과 뜻이 같도록 문장을 완성해 보세요.

① 그 못생긴 만두는 다른 것들과 달라 보였다.

→ The ugly dumpling _____ .

(others / different / from / looked)

② 그때 쥐가 말했다 // "내가 너의 친구가 되어줄게."

→ Then a mouse said, // " _____ ."

(be / your friend / will / I)

③ 그들은 부엌을 떠났다 / 그리고 사람들을 보았다.

→ _____ / and saw people.

(the kitchen / they / left)

④ 오직 못생긴 만두만이 / 쥐와 친구로 남았다.

→ Only the ugly dumpling _____ .

(friends / the mouse / stayed / with)

Delicious Dumplings

A 주어진 의미에 맞는 단어를 <보기>에서 골라 빈칸을 채우세요.

| 보기 | cook boil bowl vegetable add wrap |

명사 그릇, 볼	Put some candy in a ❶ _____ . 그릇 안에 사탕을 좀 넣으세요.
명사 채소	There is a ❷ _____ garden in the backyard. 뒷마당에 채소밭이 있다.
동사 1. 삶다 2. 끓다, 끓이다	❸ _____ some eggs for lunch. 점심에 필요한 달걀을 좀 삶으세요.
동사 더하다, 추가하다	❹ _____ some salt to the soup. 수프에 소금을 좀 추가해라.
동사 요리하다	My mother will ❺ _____ some fish for dinner. 우리 엄마는 저녁식사로 약간의 생선을 요리하실 것이다.
동사 싸다, 감싸다	Please ❻ _____ the glass in paper. 유리를 종이로 감싸주세요.

B 주어진 단어의 알맞은 우리말 뜻을 찾아 연결하세요.

❶ some •   • 쉽게

❷ try •   • 시도하다

❸ easily •   • 몇몇의, 조금의

C 아래 문장에서 주어에는 ○표, 동사에는 밑줄을 치세요.

> 보기 (People) <u>make</u> dumplings for New Year's Day.

❶ You can use green onions, Chinese cabbage, or kimchi.

❷ You can easily make them.

❸ Take a spoonful of the filling.

❹ You can boil or fry them.

D 주어진 우리말과 뜻이 같도록 문장을 완성해 보세요.

❶ 돼지고기와 몇 가지 채소를 준비하라 / (만두)소를 (만들기) 위해.

→ _____ / for the filling.

(some vegetables / prepare / and / pork)

❷ 채소와 돼지고기를 넣어라 / 그릇 안에.

→ _____ / in a bowl.

(and pork / put / the vegetables)

❸ 조금의 소금을 더하라 / 그리고 모든 것을 잘 섞어라.

→ Add some salt / _____.

(and / well / everything / mix)

❹ 당신은 더 재미있게 보낼 것이다 / 새해 첫날에.

→ _____ / on New Year's Day.

(will / more fun / you / have)

Funny Dumplings

A 주어진 의미에 맞는 단어를 <보기>에서 골라 빈칸을 채우세요.

보기	help soup easy worry look like worried

동사 돕다, 거들다	Mom and Dad always **①** each other. 엄마와 아빠는 항상 서로를 <u>도와준다</u>.
동사 걱정하다	Don't **②** about the test. 그 시험에 대해 <u>걱정하지</u> 마.
형용사 걱정스러운	I'm **③** about my brother. 나는 내 남동생이 <u>걱정스럽다</u>.
형용사 쉬운, 수월한	I need an **④** book for my son. 나는 내 아들을 위한 <u>쉬운</u> 책이 필요하다.
명사 국, 수프	The **⑤** is still warm. 그 <u>수프</u>는 아직 따뜻하다.
~처럼 보이다, ~처럼 생기다	It doesn't **⑥** a duck. 그것은 오리처럼 <u>보이지</u> 않는다.

B 주어진 단어의 알맞은 우리말 뜻을 찾아 연결하세요.

① finish •   • 즐기다

② funny •   • 끝내다

③ enjoy •   • 이상한, 기이한

C 아래 문장에서 주어에는 ○표, 동사에는 밑줄을 치세요.

> 보기 ⓘ wanted to help her.

① I tried to make good dumplings.

② But it wasn't easy.

③ Grandma, nobody will eat my dumplings.

④ Everyone enjoyed the dumpling soup.

D 주어진 우리말과 뜻이 같도록 문장을 완성해 보세요.

① 어제, / 할머니께서는 만두를 만들고 계셨다.

→ Yesterday, / _____ .

(Grandma / making / dumplings / was)

② 할머니는 말씀하셨다. // "걱정하지 마. 계속 해보렴."

→ Grandma said, / " _____ . _____ ."

(worry / trying / don't / keep)

③ 내 만두는 ~처럼 보이기 시작했다 / 할머니 것!

→ _____ / Grandma's!

(to / started / look like / my dumplings)

④ 모두가 내 이상한 만두를 좋아했다 / ~도.

→ _____ , / too.

(liked / everyone / my funny dumplings)

04 A Bowl of Dumpling Soup

A 주어진 의미에 맞는 단어를 <보기>에서 골라 빈칸을 채우세요.

보기	give out	know	pot	sick	soon	until

동사 알다, 알고 있다	How did ❶ _____ about him? 너는 그에 대해 어떻게 알고 있니?
형용사 아픈, 병든	Jim can't play outside today. He is ❷ _____ . Jim은 오늘 밖에서 놀 수 없다. 그는 아프다.
명사 냄비, 솥	Water is boiling in the ❸ _____ . 물이 냄비 안에서 끓고 있다.
~을 나눠 주다	The teacher will ❹ _____ the exam papers. 선생님을 시험지를 나눠 줄 것이다
전치사 ~ 까지	Let's wait ❺ _____ 3 o'clock. 3시까지 기다리자.
부사 곧, 잠시 후	He will be back ❻ _____ . 그는 곧 돌아올 것이다.

B 주어진 단어의 알맞은 우리말 뜻을 찾아 연결하세요.

❶ together   •   •   함께

❷ medicine   •   •   역사

❸ history   •   •   약

C 아래 문장에서 주어에는 ○표, 동사에는 밑줄을 치세요.

> 보기　(They) soon <u>felt</u> better.

❶ Everyone had a bowl of dumpling soup.

❷ It started with a doctor in the Han Dynasty.

❸ First, he boiled meat soup and medicine in a pot.

❹ The doctor gave out dumpling soup until Chinese New Year's Eve.

D 주어진 우리말과 뜻이 같도록 문장을 완성해 보세요.

❶ 어떤 사람들은 그 역사에 대해 알지 못한다.

→ _____ .

　　(about / the history / don't know / some people)

❷ 그 의사는 몇몇 배고프고 아픈 사람들을 발견했다.

→ _____ .

　　(found / the doctor / some hungry and sick people)

❸ 그리고 나서 그는 그 고기로 만두를 만들었다.

→ Then _____ .

　　(dumplings / made / he / with the meat)

❹ 마지막으로, / 그는 그 국에 만두를 삶았다.

→ Finally, / _____ .

　　(he / the dumplings / the soup / boiled / in)

01 Fire: Hot Volcano

A 주어진 의미에 맞는 단어를 <보기>에서 골라 빈칸을 채우세요.

보기   voice   promise   take   wish for   last   please

형용사 마지막의	The **①** _____ train just left here. 마지막 기차가 방금 여기서 떠났다.
동사 (사람을) 데리고 가다	I will **②** _____ you to the park. 내가 너를 공원에 데려다 줄게.
명사 목소리, 음성	The singer's **③** _____ was beautiful. 그 가수의 목소리는 아름다웠다.
명사 약속	We made a **④** _____ yesterday. 우리는 어제 약속을 했다.
동사 기쁘게 하다, 만족시키다	The man wanted to **⑤** _____ the king. 그 남자는 왕을 기쁘게 해주고 싶었다.
~을 바라다	You **⑥** _____ too many things. 너는 너무 많은 것을 바란다.

B 주어진 단어의 알맞은 우리말 뜻을 찾아 연결하세요.

① princess •   • (행사, 의식 등을) 거행하다, 열다

② volcano •   • 공주

③ hold •   • 화산

C 아래 문장에서 주어에는 ○표, 동사에는 밑줄을 치세요.

> 보기   But (they) <u>wanted</u> to take the last child.

❶ The gods were angry.

❷ They asked the gods from Mount Bromo.

❸ So they held ceremonies every year.

❹ So the volcano blew up.

D 주어진 우리말과 뜻이 같도록 문장을 완성해 보세요.

❶ 부부는 약속했다 // 그리고 25명의 자식을 낳았다.

→ _____ / and had 25 children.

(the promise / the couple / made)

❷ 신들은 그 아이를 데려갔다 / 산속으로.

→ _____ / into the mountain.

(took / the gods / the child)

❸ 마을 사람들은 아이의 목소리를 들을 수 있었다 / 산으로부터.

→ _____ / from the mountain.

(a child's voice / villagers / could hear)

❹ 마을 사람들은 신들을 기쁘게 하고 싶었다.

→ _____ .

(wanted / the villagers / the gods / to please)

02 Wind: Moving Air

A 주어진 의미에 맞는 단어를 <보기>에서 골라 빈칸을 채우세요.

| 보기 | rain   terrible   smoke   move   place   dirty |

형용사 더러운	My shoes became ❶ _____ after the rain. 비가 온 후 내 신발은 <u>더러워졌다</u>.
형용사 끔찍한	I just heard ❷ _____ news. 나는 방금 <u>끔찍한</u> 소식을 들었다.
명사 장소, 곳	The ❸ _____ was full of old books. 그 <u>곳</u>은 오래된 책들로 가득했다.
명사 연기	The ❹ _____ came from the woods. <u>연기</u>는 숲에서 나왔다.
동사 움직이다, 이동시키다	I will ❺ _____ my chair. 나는 내 의자를 <u>옮길</u> 것이다.
동사 비가 오다 명사 비	It started to ❻ _____ . <u>비가 오기</u> 시작했다.

B 주어진 단어의 알맞은 우리말 뜻을 찾아 연결하세요.

❶ without   •

•   씨앗

❷ seed   •

•   사라지다

❸ disappear   •

•   ∼이 없으면

C 아래 문장에서 주어에는 ○표, 동사에는 밑줄을 치세요.

> 보기   (Rain clouds) <u>would not move</u>.

1 But it does more than moving things.

2 Other places would be very cold.

3 Some places would not have power.

4 The seeds would not take root or grow.

D 주어진 우리말과 뜻이 같도록 문장을 완성해 보세요.

1 바람은 물체를 움직인다 / 연과 구름과 같은.

→ _____ / like kites and clouds.

(things / wind / moves)

2 바람이 없으면, / 끔찍한 일들이 일어날 것이다.

→ Without wind, / _____ .

(would / terrible / things / happen)

3 첫째, / 열기는 움직이지 않을 것이다 / 전 세계로.

→ First, / _____ / around the world.

(not / move / the heat / would)

4 공기는 더럽고 위험해질 것이다.

→ _____ .

(dangerous / air / be / dirty / would / and)

Earth: Shaking Ground

A 주어진 의미에 맞는 단어를 <보기>에서 골라 빈칸을 채우세요.

| 보기 | actually   stay   hurt   fall   follow   practice |

동사 1. (충고, 지시 등에) 따르다, 따라하다 2. 따라가다, 따라오다	Please ❶ _____ these rules. 이 규칙들을 <u>따라주세요</u>.
동사 떨어지다	Apples ❷ _____ off the trees. 사과는 나무에서 <u>떨어진다</u>.
동사 연습하다	I will ❸ _____ the guitar harder. 나는 더 열심히 기타를 <u>연습할</u> 것이다.
동사 머물다, 그대로 있다	The guests will ❹ _____ in a hotel. 손님들은 호텔에 <u>머무를</u> 것이다.
동사 다치게 하다, 아프게 하다	The accident ❺ _____ many people. 그 사고는 많은 사람들을 <u>다치게 했다</u>.
부사 실제로, 정말로	What did she ❻ _____ say? 그녀가 <u>실제로</u> 뭐라고 말했니?

B 주어진 단어의 알맞은 우리말 뜻을 찾아 연결하세요.

❶ earth •   • 안전한

❷ safe •   • 대지, 땅

❸ cover •   • 감싸다

C 아래 문장에서 주어에는 ○표, 동사에는 밑줄을 치세요.

> 보기　(They) can actually <u>save</u> your life!

❶ An earthquake can happen suddenly.

❷ But the kitchen is a dangerous place.

❸ Broken glass can hurt you.

❹ First, drop under a table or a desk.

D 주어진 우리말과 뜻이 같도록 문장을 완성해 보세요.

❶ 안전한 장소를 찾아라 // 당신이 건물 안에 있을 때.

→ Find a safe place // _____.

(a building / are / you / when / inside)

❷ 당신의 머리와 목을 감싸라 / 당신의 손과 팔로.

→ _____ / with your hands and arms.

(your head / neck / and / cover)

❸ 그러나 창문으로부터 떨어져 있어라.

→ _____.

(from windows / but / away / stay)

❹ 그 단계들을 배우고 연습하라.

→ _____.

(steps / and / practice / learn / those)

04 Water: Mysterious River

A 주어진 의미에 맞는 단어를 <보기>에서 골라 빈칸을 채우세요.

보기	close	possible	jungle	part	deep	heat

명사 열, 열기	❶ is useful in our lives. 열은 우리의 생활에서 유용하다.
명사 정글, 밀림 지대	Some people live in the Amazon ❷ . 어떤 사람들은 아마존 정글에서 산다.
부사 깊이, 깊은 곳에서	We went ❸ into the forest. 우리는 숲 속 깊이 들어갔다.
형용사 가까운	The school is ❹ to the park. 학교는 공원에 가깝다.
형용사 가능한, 가능성 있는	I will do everything ❺ . 나는 가능한 모든 것을 할 것이다.
명사 부분	The best ❻ of the trip was the food. 여행에서 가장 좋았던 부분은 음식이었다.

B 주어진 단어의 알맞은 우리말 뜻을 찾아 연결하세요.

❶ oil   •   • 의미하다

❷ mean   •   • 이유

❸ reason   •   • 석유, 기름

C 아래 문장에서 주어에는 ○표, 동사에는 밑줄을 치세요.

> 보기 (The river) <u>has</u> different names.

❶ *Shanay timpishka* means "boiling with the heat of the sun."

❷ The hottest part of the river is close to 100℃.

❸ Actually, the heat is not from the sun.

❹ The river may be hot because of the oil and gas.

D 주어진 우리말과 뜻이 같도록 문장을 완성해 보세요.

❶ 페루의 정글 안에, / 특별한 강이 있다.

→ In a jungle in Peru, / _____.

(is / there / a special / river)

❷ 강이 끓고 있기 때문에, // 그것은 여러 이름들을 가지고 있다.

→ _____, // it has different names.

(boiling / the river / because / is)

❸ 두 가지 가능한 이유가 있다.

→ _____.

(two / possible / are / there / reasons)

❹ 강의 물은 그곳에서 나올지도 모른다.

→ _____.

(there / may / the river's water / come from)

왓츠리딩

What's Reading

한눈에 보는 왓츠 Reading 시리즈

70 A|B | **80** A|B

90 A|B | **100** A|B

1 체계적인 학습을 위한 시리즈 및 난이도 구성
2 재미있는 픽션과 유익한 논픽션 50:50 구성
3 이해력과 응용력을 향상시키는 다양한 활동 수록
4 지문마다 제공되는 추가 어휘 학습
5 워크북과 부가자료로 완벽한 복습 가능
6 학습에 편리한 차별화된 모바일 음원 재생 서비스
　→ 지문, 어휘 MP3 파일 제공

단계	단어 수 (Words)	Lexile 지수
70 A	60 ~ 80	200-400L
70 B	60 ~ 80	
80 A	70 ~ 90	300-500L
80 B	70 ~ 90	
90 A	80 ~ 110	400-600L
90 B	80 ~ 110	
100 A	90 ~ 120	500-700L
100 B	90 ~ 120	

* Lexile(렉사일) 지수는 미국 교육 연구 기관 MetaMetrics에서 개발한 독서능력 평가지수로, 미국에서 가장 공신력 있는 지수로 활용되고 있습니다.

부가자료 다운로드

www.cedubook.com

LISTENING Q

중학영어듣기 **모의고사 시리즈**

① 최신 기출을 분석한 유형별 공략

· 최근 출제되는 모든 유형별 문제 풀이 방법 제시
· 오답 함정과 정답 근거를 통해 문제 분석
· 꼭 알아두야 할 주요 어휘와 표현 정리

② 실전모의고사로 문제 풀이 감각 익히기

실전 모의고사 20회로 듣기 기본기를 다지고,
고난도 모의고사 4회로 최종 실력 점검까지!

③ 매 회 제공되는 받아쓰기 훈련 (딕테이션)

· 문제풀이에 중요한 단서가 되는
  핵심 어휘와 표현을 받아 적으면서 듣기 훈련!
· 듣기 발음 중 헷갈리는 발음에 대한 '리스닝 팁' 제공
· 교육부에서 지정한 '의사소통 기능 표현' 정리

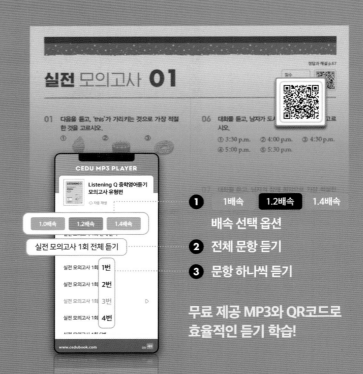

① 1배속 **1.2배속** 1.4배속

배속 선택 옵션

② 전체 문항 듣기

③ 문항 하나씩 듣기

무료 제공 MP3와 QR코드로
효율적인 듣기 학습!

쎄듀

초등코치

천일문 *sentence*

1,001개 통문장 암기로 영어의 기초 완성

1 | 초등학생도 쉽게 따라 할 수 있는 암기 시스템 제시

2 | 암기한 문장에서 자연스럽게 문법 규칙 발견

3 | 영어 동화책에서 뽑은 빈출 패턴으로 흥미와 관심 유도

4 | 미국 현지 초등학생 원어민 성우가 녹음한 생생한 MP3

5 | 세이펜(음성 재생장치)을 활용해 실시간으로 듣고 따라 말하는 효율적인 학습 가능

　　Role Play 기능을 통해 원어민 친구와 1:1 대화하기!

* 기존 보유하고 계신 세이펜으로도 핀파일 업데이트 후 사용 가능합니다.

* Role Play 기능은 '레인보우 SBS-1000' 이후 기종에서만 기능이 구현됩니다.

내신, 수능, 말하기, 회화
목적은 달라도
시작은 초등코치 천일문!

with
세이펜

• 연계 & 후속 학습에 좋은 초등코치 천일문 시리즈 •

**초등코치 천일문
GRAMMAR 1, 2, 3**

-

1,001개 예문으로
배우는 초등 영문법

**초등코치 천일문
VOCA & STORY 1, 2**

-

1001개의 초등 필수 어휘와
짧은 스토리

쎄듀북닷컴(www.cedubook.com)에서 부가 자료를 무료로 다운로드할 수 있습니다.

쎄듀

EGU
THE EASIEST GRAMMAR & USAGE

EGU 시리즈 소개

EGU
서술형 기초 세우기

영단어&품사
서술형·문법의 기초가 되는
영단어와 품사 결합 학습

문장 형식
기본 동사 32개를 활용한
문장 형식별 학습

동사 써먹기
기본 동사 24개를 활용한
확장식 문장 쓰기 연습

EGU
서술형·문법 다지기

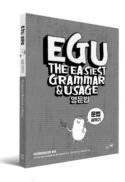

문법 써먹기
개정 교육 과정
중1 서술형·문법 완성

구문 써먹기
개정 교육 과정
중2, 중3 서술형·문법 완성

쎄듀북닷컴(www.cedubook.com)에서 부가 자료를 무료로 다운로드할 수 있습니다.

쎄듀

Words

80 B

왓츠
리딩
What's Reading

정답과 해설

쎄듀

김기훈 ┃ 쎄듀 영어교육연구센터

Follow My Lead!

Words

80 B

· 정답과 해설 ·

Happiness

01 A Happy Day

p. 15 **Check Up**	1 ②　　2 (a) ✕　(b) ○　　3 ③　　4 ⓐ: helped ⓑ: happened

p. 16 Build Up　　ⓐ watered　　ⓑ made　　ⓒ cleaned　　ⓓ woke up

4 → 2 → 3 → 1

p. 16 Sum Up　　ⓐ did　　ⓑ Nothing　　ⓒ lost　　ⓓ helped

ⓔ terrible

p. 17 Look Up

A　1 help　　2 call　　3 lose

B　1 do - (행동, 일을) 하다　　2 terrible - 끔찍한

　　3 forget - 잊다　　4 everything - 모든 것

C　1 watered　　2 lost　　3 same

Check Up

1 Bob은 매일 모든 일을 똑같이 하지만, 친구의 부탁으로 매일 하던 일을 하지 못하게 된 특별한 하루에 대한 이야기이므로 정답은 ②이다.

2 (a) Bob은 5분 동안 토스트를 만든다고(He made toast for five minutes.) 했으므로 글의 내용과 틀리다.
(b) Jake는 친구 Bob에게 전화를 걸어서 도움을 요청했다고(One morning, Bob's friend, Jake, called him. He said, "Bob! Help me! I lost my dog!") 했으므로 글의 내용과 맞다.

3 Bob의 하루 일과 중에서는 개 산책시키기에 대한 내용은 없다.

4　Bob이 온종일 그의 친구를 ⓐ 도와줬을 때, 끔찍한 아무 일도 ⓑ 일어나지 않았고, 그는 행복했다.

Build Up

Bob의 하루 일과를 정리한 내용이다.

❹ 7시에 ⓓ 일어났다. → ❷ 5분 동안 토스트를 ⓑ 만들었다. → ❸ 집을 ⓒ 청소했다. → ❶ 그의 식물에 ⓐ 물을 주었다.

Sum Up

Bob은 매일 모든 일을 똑같이 ⓐ 했다. 그는 항상 생각했다. '오늘은 끔찍한 ⓑ 아무 일도 일어나지 않을 거야.' 어느 날 아침, Jake는 그의 개를 ⓒ 잃어버려서 Bob에게 전화했다. 그래서 Bob은 Jake를 온종일 ⓓ 도와줬다. Bob은 그날 모든 일을 똑같이 하지 않았다. 하지만 ⓔ 끔찍한 아무 일도 일어나지 않았다. 그는 친구를 도와줘서 행복했다.

끊어서 읽기

Bob은 모든 것을 했다 / 똑같이, / 매일. 그는 일어났다 / 7시에. 그는
¹Bob did everything / the same, / every day. ²He woke up / at 7:00. ³He made

토스트를 만들었다 / 5분 동안. 그 다음에 / 그는 집을 청소했다 / 그리고 그의 식물에 물을 주었다 /
toast / for five minutes. ⁴Then / he cleaned the house / and watered his plants /

그 뒤에. 그는 생각했다. // "나는 모든 것을 했어. 끔찍한 아무 일도 일어나지 않을 거야 / 오늘."
after that. ⁵He thought, // "I did everything. ⁶Nothing terrible will happen / today."

어느 날 아침, / Bob의 친구, Jake가 그에게 전화했다. 그는 말했다, // "Bob! 나를 도와줘!
⁷One morning, / Bob's friend, Jake, called him. ⁸He said, // "Bob! Help me!

나는 나의 개를 잃어버렸어!" Bob은 갔다 / 그리고 그를 도와주었다 / 온종일. 그들은 찾았다 / Jake의 개를!
⁹I lost my dog!" ¹⁰Bob went / and helped him / all day. ¹¹They found / Jake's dog!

Bob은 행복했다 / 그가 친구를 도와줬기 때문에. 그는 생각했다, // "나는 모든 것을 잊었어
¹²Bob was happy / because he helped a friend. ¹³He thought, // "I forgot everything

/ 오늘. 하지만 끔찍한 아무 일도 일어나지 않았네!"
/ today. ¹⁴But nothing terrible happened!"

우리말 해석

행복한 하루

¹Bob은 매일 모든 일을 똑같이 했습니다. ²그는 7시에 일어났어요. ³그는 5분 동안 토스트를 만들었습니다. ⁴그 다음에 그는 집을 청소하고 그 뒤에 식물에 물을 주었습니다. ⁵그는 생각했어요, '나는 모든 일을 했어. ⁶오늘 끔찍한 일은 일어나지 않을 거야.'

⁷어느 날 아침, Bob의 친구 Jake가 그에게 전화했습니다. ⁸그는 말했어요, "Bob! 나 좀 도와줘! ⁹나의 개를 잃어버렸어!" ¹⁰Bob은 가서 그를 온종일 도와주었어요. ¹¹그들은 Jake의 개를 찾았습니다! ¹²Bob은 친구를 도와줘서 행복했습니다. ¹³그는 생각했어요, '오늘 나는 (내가 해야 할) 모든 일을 잊어버렸어. ¹⁴하지만 끔찍한 일은 일어나지 않았네!'

³He made toast **for** five minutes.
<u>주어</u> <u>동사</u> <u>목적어</u>

➔ 시간을 나타내는 전치사 for는 '～ 동안'으로 해석한다.

⁶**Nothing** *terrible* **will** happen today.
<u>　　주어　　</u> <u>　동사　</u>

➔ -thing으로 끝나는 대명사는 형용사가 뒤에서 꾸며준다.

➔ will은 '～할 것이다'라는 뜻으로 미래를 나타내는 표현이다.

02	A Happy Country			pp.18 ~ 21
p. 19 **Check Up**	1 ②	2 (a) ✕ (b) ◯	3 ②	4 ③	5 ⓐ: top	ⓑ: happy
p. 20 **Build Up**	ⓐ top	ⓑ richest	ⓒ half	ⓓ volunteer
p. 20 **Sum Up**	ⓐ happy	ⓑ ask	ⓒ freedom	ⓓ do
	ⓔ money			
p. 21 **Look Up**	A 1 ask	2 top	3 buy
	B 1 half - 반, 절반	2 around - 약, 대략	
	3 freedom - 자유	4 happiness - 행복	
	C 1 money	2 often	3 Many

Check Up

1 핀란드는 행복한 나라들 목록의 맨 위에 자주 있으며, 그 나라 사람들의 특징에 대해 설명하는 글이므로 정답은 ②이다.

2 (a) 한 회사는 매년 세계 행복 보고서를 만든다고(A company makes the World Happiness Report every year.) 했으므로 글의 내용과 틀리다.
(b) 연구원들은 약 150개국에게 행복에 대해 묻는다고(The researchers ask around 150 countries about happiness.) 했으므로 글의 내용과 맞다.

3 핀란드는 북유럽에서 가장 부유한 나라가 아니라고(The country is not the richest in Northern Europe.) 했으므로, 정답은 ②이다.

4 핀란드는 세계에서 행복한 나라 중 하나인데, 부유하지 않아도 사람들이 자주 기부를 하고 자원봉사 활동을 한다고 했으므로, 돈으로 '행복'을 살 수 없다는 내용이 가장 자연스럽다.
① 자유 ② 기부 ③ 행복

5 핀란드는 ⓑ 행복한 나라들 목록의 ⓐ 맨 위에 자주 있습니다.

Build Up

세계 행복 보고서			
나라	핀란드	인구	약 5,548,361명
행복	– 행복한 나라들 목록의 ⓐ 맨 위에 자주 있다		
돈	– 북유럽에서 ⓑ 가장 부유한 나라가 아니다		
자유	– 전쟁이 없는 안전한 나라 – 자유로운 나라		
기부	– 사람들의 약 ⓒ 절반이 기부한다. – 많은 사람들은 ⓓ 자원봉사 활동을 한다.		

Sum Up

세계 행복 보고서는 ⓐ 행복한 나라들의 목록을 보여 준다. 연구원들은 행복에 대해 많은 나라들에게 ⓑ 묻는다. 그들은 돈, ⓒ 자유, 그리고 기부를 본다. 핀란드는 자주 그 목록의 맨 위에 있다. 핀란드의 많은 사람들은 기부하고 자원봉사 활동을 ⓓ 한다. 핀란드는 한 가지를 보여 준다. 우리는 ⓔ 돈으로 행복을 살 수 없다.

☙ 끊어서 읽기

한 회사는 만든다 / 세계 행복 보고서를 / 매년. 그 보고서는
¹A company makes / the World Happiness Report / every year. ²The report

보여 준다 / 행복한 나라들의 목록을. 연구원들은 묻는다 / 약 150개국에게
shows / a list of happy countries. ³The researchers ask / around 150 countries

/ 행복에 대해. 그들은 또한 본다 / 돈, 자유, 그리고 기부를.
/ about happiness. ⁴They also look at / money, freedom, and donations.

핀란드는 자주 있다 / 그 목록의 맨 위에. 그 나라는 가장 부유하지 않다 /
⁵Finland is often / at the top of the list. ⁶The country is not the richest /

북유럽에서. 그러나 / 핀란드 사람들의 약 절반은 / 자주 기부한다.
in Northern Europe. ⁷But / about half of people in Finland / donate often.

그들 중 많은 사람들은 / 또한 자원봉사 활동을 한다. 결국, / 당신은 행복을 살 수 없다 /
⁸Many of them / also do volunteer work. ⁹After all, / you can't buy happiness /

돈으로. 그리고 핀란드는 그것을 보여 준다.
with money. ¹⁰And Finland shows it.

행복한 나라

¹한 회사는 매년 세계 행복 보고서를 만듭니다. ²그 보고서는 행복한 나라들의 목록을 보여 줍니다. ³연구원들은 행복에 대해 약 150개국에게 질문합니다. ⁴그들은 또한 돈, 자유, 그리고 기부를 봅니다.
⁵핀란드는 자주 그 목록의 맨 위에 있습니다. ⁶그 나라는 북유럽에서 가장 부유한 나라가 아닙니다. ⁷그러나 핀란드 사람들의 약 절반이 자주 기부합니다. ⁸그들 중 많은 사람들은 또한 자원봉사 활동을 합니다. ⁹결국, 여러분은 돈으로 행복을 살 수 없습니다. ¹⁰그리고 핀란드는 그것을 보여 줍니다.

🌿 주요 문장 분석하기

⁶The country is not **the richest** *in* Northern Europe.
　　　주어　　　동사　　보어

→ richest는 rich의 최상급으로, 「the＋형용사＋-est」의 형태이며, '가장 부유한'을 의미한다.
→ 보통 최상급 뒤에는 범위를 나타내는 「in＋장소」가 온다.

⁷But **about** half of people in Finland donate *often*.
　　　　　주어　　　　　　　　동사

→ about은 '약, 대략'이라는 의미를 나타낸다.
→ 빈도부사 often은 보통 일반동사 앞에, be동사와 조동사 뒤에 위치한다. 하지만 강조를 위해서 문장의 앞이나 마지막에도 올 수 있다.

03	A Happy Couple				pp.22 ~ 25

p. 23 **Check Up**	1 ③	2 (a) × (b) ○	3 ③	4 ①
	5 ⓐ: forever　ⓑ: happiest			

p. 24 **Build Up**	1 (C)	2 (A)	3 (B)		

p. 24 **Sum Up**	ⓐ happy	ⓑ traveled	ⓒ met	ⓓ enough	ⓔ family

p. 25 **Look Up**	A 1 rich	2 meet	3 travel
	B 1 look - ~해 보이다	2 too - 너무 ~한	
	3 young - 젊은	4 forever - 영원히	
	C 1 question	2 meet	3 enough

Check Up

1 영원히 행복해지고 싶은 한 젊은 부부가 여행을 하면서 여러 부부를 만나 진정한 행복이 무엇인지 알게 되는 내용이므로 가장 알맞은 제목이 되려면 ③이 빈칸에 들어가야 한다.

2 (a) 젊은 부부는 영원히 행복해지고 싶어서 여기저기 여행했다고(A young couple wanted to be happy forever. They traveled around ~.) 했으므로 글의 내용과 틀리다.

(b) 부자 부부는 아이가 없어서 가장 행복한 부부가 아니라고(The rich couple said, "No, because we have no children.") 했으므로 글의 내용과 맞다.

3 밑줄 친 ⓐ는 '같은 질문'이라는 의미로 부자 부부에게 했던 질문인 'Are you the happiest couple(당신들은 가장 행복한 부부인가요)?'를 가리킨다.

4 빈칸 뒤에서 젊은 부부가 행복한 이유를 묻고 가족의 아버지가 그 질문에 답하는 내용이 나오므로, 가난한 가족이 '행복해' 보였다는 내용이 흐름상 자연스럽다.
① 행복한 ② 부유한 ③ 젊은

5
> 젊은 부부는 ⓐ 영원히 행복해지고 싶었다. 그래서 그들은 ⓑ 가장 행복한 부부를 찾았다.

Build Up

❶ 가난한 가족은 행복했다 ❷ 부자 부부는 행복하지 않았다 ❸ 자식을 둔 부부는 행복하지 않았다

(C) 그들은 서로가 있었기 때문에. (A) 그들은 자식이 없었기 때문에. (B) 그들은 너무 많은 자식들이 있었기 때문에.

Sum Up

> 젊은 부부는 영원히 ⓐ 행복해지고 싶었다. 그들은 여기저기 ⓑ 여행을 다녔고 어떤 부부들을 만났다. 그들은 질문을 했다. "당신들이 가장 행복한 부부입니까?" 하지만 모든 부부들은 아니라고 말했다. 그러고 나서 그 젊은 부부는 가난한 가족을 ⓒ 만났다. 그 가족은 ⓓ 충분한 음식이 없었다. 그러나 그들은 행복해 보였다. 그 젊은 부부는 물었다. "당신들은 왜 행복한가요?" 그 아버지가 대답했다. "전 제 ⓔ 가족이 있으니까요."

끊어서 읽기

한 젊은 부부는 원했다 / 영원히 행복하기를.   그들은 여기저기 여행을 다녔다 / 그리고
[1]A young couple wanted / to be happy forever. [2]They traveled around / and

가장 행복한 부부를 찾았다.
looked for the happiest couple.

그들은 만났다 / 한 부자 부부를.   그들은 물었다. // "당신들이 가장 행복한 부부입니까?"
[3]They met / a rich couple. [4]They asked, // "Are you the happiest couple?"

부자 부부는 말했다,   // "아니요, / 우리는 자식이 없기 때문이에요."
[5]The rich couple said, // "No, / because we have no children."

젊은 부부는 만났다 / 많은 자식을 둔 한 부부를. 그들은 물었다 / 같은

⁶The young couple met / a couple with many children. ⁷They asked / the same

질문을. 대답은 ~이었다. / "아니요, / 우리는 가지고 있기 때문이에요 / 너무 많은 자식들을.

question. ⁸The answer was, / "No, / because we have / too many children."

그 부부는 만났다 / 가난한 한 가족을. 그 가족은 가지고 있지 않았다 / 충분한 음식을.

⁹The couple met / a poor family. ¹⁰The family didn't have / enough food.

그러나 그들은 행복해 보였다. 젊은 부부는 물었다. // "당신들은 왜 행복합니까?"

¹¹But they looked happy. ¹²The young couple asked, // "Why are you happy?"

그 아버지는 대답했다. // "나는 내 가족이 있어요. 당신은 그 밖에 무엇이 필요한가요?"

¹³The father answered, // "I have my family. ¹⁴What else do you need?"

🌿 우리말 해석

행복한 부부

¹한 젊은 부부는 영원히 행복해지길 원했습니다. ²그들은 여기저기 여행을 다니며 가장 행복한 부부를 찾아 다녔어요. ³그들은 한 부자 부부를 만났습니다. ⁴그들은 "당신들이 가장 행복한 부부입니까?"라고 물었습니다. ⁵부자 부부는 "아니요, 왜냐하면 우리는 자식이 없거든요."라고 말했습니다.

⁶젊은 부부는 많은 자녀를 둔 한 부부를 만났습니다. ⁷그들은 같은 질문을 했어요. ⁸대답은 "아니요, 왜냐하면 우리는 자식들이 너무 많아요." 였습니다.

⁹그 부부는 가난한 가족을 만났습니다. ¹⁰그 가족은 충분한 음식을 갖고 있지 않았어요. ¹¹그러나 그들은 행복해 보였습니다. ¹²젊은 부부는 "왜 당신들은 행복한가요?"라고 물었습니다. ¹³그 아버지는 대답했습니다. "저에게는 제 가족이 있어요. ¹⁴당신은 그 밖에 무엇이 필요한가요?"

🌿 주요 문장 분석하기

¹A young couple **wanted to be** happy forever.
　　　　주어　　　　동사　　　　목적어

➔ 「want[wanted] to+동사원형」은 '~하고 싶다[싶었다]'의 의미이다.

⁶The young couple met *a couple* [**with** many children].
　　　　주어　　　　동사　　　　목적어

➔ with many children은 뒤에서 a couple을 꾸며준다. 여기서 with는 '~을 가진, ~이 있는'이라는 뜻이다.

¹¹But they **looked** happy.
　　　주어　동사　보어

➔ 「look[looked]+형용사」는 '~해 보이다[보였다]'라는 뜻이다.

p. 27 **Check Up**	1 ③	2 (a) × (b) ○	3 ①	4 ③
	5 ⓐ: **beautiful** ⓑ: **happy**			
p. 28 **Build Up**	ⓐ **trees**	ⓑ **create**	ⓒ **sing**	ⓓ **hear**
p. 28 **Sum Up**	ⓐ **birds**	ⓑ **beautiful**	ⓒ **town**	ⓓ **grows**
p. 29 **Look Up**	A 1 **sing**	2 **interview**		3 **team**
	B 1 **peaceful** - 평화로운	2 **create** - 만들어 내다		
	3 **town** - (소)도시, 마을	4 **beautifully** - 아름답게		
	C 1 **beautiful**	2 **team**		3 **study**

Check Up

1 새가 많은 도시의 특징을 조사한 연구 결과에 대한 내용이다. 새가 많이 사는 곳에 사는 사람들이 행복한 이유에 대해 설명하므로 정답은 ③이다.

2 (a) 연구팀은 도시들을 조사했는데, 그 도시에는 많은 종류의 새가 살았고, 그곳에 사는 사람들을 인터뷰했다고(A research team studied some towns. Many kinds of birds live in the town. The team interviewed the town people.) 했지만, 나무들을 연구했다는 내용이 아니므로 글의 내용과 틀리다.
(b) 새는 나무에서 살고, 새가 많은 도시에는 나무들이 많다고(Birds live in trees. Towns with many birds have many trees.) 했으므로 글의 내용과 맞다.

3 연구팀의 조사 방법은 새가 많은 도시에 사는 사람들을 인터뷰했다고 했으며(The team interviewed the town people.), 새가 많은 곳의 특징은 나무가 많고, 풍경이 아름답다고(Towns with many birds have many trees. Many trees create beautiful scenery in the towns.) 했다. 하지만 새의 종류에 대한 내용은 글에 없다.

4 사람들은 아름다운 풍경을 보고 행복을 느끼며, 새들이 지저귀는 소리를 듣고 평화로운 순간도 가질 수 있다고 했으므로, 빈칸을 포함한 문장은 사람들의 행복이 '더 커진'다는 내용이어야 흐름상 자연스럽다.
① 더 작은 ② 더 느린 ③ 더 큰

5 많은 나무들은 ⓐ 아름다운 풍경을 만들고, 사람들은 그것을 볼 때 ⓑ 행복하다고 느낀다.

Build Up

새로부터 얻는 행복

❶

새가 많이 있는 도시는 많은 ⓐ 나무들이 있다.

↓

많은 나무가 아름다운 풍경을 ⓑ 만들어 낸다.

↓

사람들은 매일 그것을 보고 행복하다고 느낀다.

❷

새들은 아름답게 ⓒ 지저귄다.

↓

사람들은 그것을 ⓓ 듣고 평화로운 순간을 가질 수 있다.

Sum Up

사람들은 ⓐ 새로 인해 행복해질 수 있다. 어떤 연구는 이것을 보여 주었다. 자연은 새로 더 ⓑ 아름다워진다. ⓒ 도시에 많은 새들이 있을 때, 많은 나무들이 있다. 새들은 또한 아름답게 지저귄다. 사람들이 아름다운 풍경과 새들의 지저귐을 들을 때, 그들의 행복은 더 ⓓ 커진다.

끊어서 읽기

사람들이 행복해질 수 있는가 / 새 때문에? 대답은 '맞다'이다. 한 연구팀이
¹Can people become happy / because of birds? ²The answer is yes. ³A research team

연구했다 / 몇몇 도시들을. 많은 종류의 새는 산다 / 그 도시들 안에는. 그 팀은 인터뷰했다
studied / some towns. ⁴Many kinds of birds live / in the towns. ⁵The team interviewed

/ 그 도시 사람들을. 그들은 더 행복하다 / 다른 사람들보다 / 다른 도시에 있는.
/ the town people. ⁶They are happier / than other people / in different towns.

왜 그 사람들은 행복하다고 느끼는가? 우선, / 자연은 더 아름다워진다 / 새들로.
⁷Why do the people feel happy? ⁸First, / nature becomes more beautiful / with birds.

새들은 나무에서 산다. 새가 많은 도시들은 / 많은 나무가 있다. 많은 나무들은
⁹Birds live in trees. ¹⁰Towns with many birds / have many trees. ¹¹Many trees

만들어 낸다 / 아름다운 풍경을 / 그 도시 안에서. 사람들은 그것을 본다 / 매일 / 그리고
create / beautiful scenery / in the towns. ¹²People see it / every day / and

행복하다고 느낀다.
feel happy.

또한, / 새들은 아름답게 지저귄다.   사람들은 그것을 들을 수 있다 / 그리고 평화로운 순간을 가질 수 있다.
¹³Also, / birds sing beautifully. ¹⁴People can hear it / and have a peaceful moment.

그들의 행복은 더 커진다.
¹⁵Their happiness grows bigger.

🌾 우리말 해석

행복한 도시

¹새로 인해 사람들이 행복해질 수 있나요? ²대답은 '맞다'입니다. ³한 연구팀이 몇몇 도시들을 연구했습니다. ⁴그 도시들에는 많은 종류의 새가 살고 있습니다. ⁵연구팀은 그 도시 사람들을 인터뷰했습니다. ⁶그 사람들은 다른 도시에 사는 사람들보다 더 행복합니다.

⁷그 사람들은 왜 행복하다고 느낄까요? ⁸우선, 자연은 새들로 더 아름다워집니다. ⁹새들은 나무에서 삽니다. ¹⁰새가 많은 도시들은 나무가 많습니다. ¹¹많은 나무들은 그 도시에서 아름다운 풍경을 만들어 냅니다. ¹²사람들은 매일 그것을 보고 행복하다고 느끼죠. ¹³또, 새들은 아름답게 지저귑니다. ¹⁴사람들은 그것을 듣고 평화로운 순간을 가질 수 있어요. ¹⁵그들의 행복은 더 커집니다.

🌾 주요 문장 분석하기

¹**Can** people *become* happy because of birds?
　　　　　주어　　동사　　보어

→ 조동사 Can이 주어 people 앞으로 온 의문문이다.

→ 「become + 형용사」는 '~해지다'라는 뜻으로, 형용사 happy가 주어 people을 보충 설명한다.

⁶They are **happier than** *other people* [in different towns].
　주어　동사　　보어

→ happier는 happy의 비교급으로, 「형용사의 비교급 + than ~」은 '~보다 더 …한'이라는 뜻이다.

→ in different towns는 명사 other people을 뒤에서 꾸며준다.

¹⁴Their happiness **grows** *bigger*.
　　　　주어　　　　동사　　보어

→ 「grow + 형용사」는 '~해지다'라는 의미이다.

→ bigger는 형용사 big의 비교급이며, 주어 Their happiness를 보충 설명한다.

Stars

01 Sun, Moon, and Ocean

| p. 33 Check Up | 1 ② | 2 (a) ✕ (b) ✕ | 3 Ocean |
| | 4 ⓐ: threw ⓑ: made | | |

| p. 34 Build Up | 1 (C), (E) | 2 (A) | 3 (D), (F) | 4 (B) |

| p. 34 Sum Up | 3 → 4 → 1 → 2 | | |

p. 35 Look Up	A 1 happy	2 throw	3 together
	B 1 always - 항상	2 day - 낮	
	3 call - (~라고) 이름 짓다	4 decide - 결심하다	
	C 1 threw	2 night	3 together

Check Up

1 Sun이 Moon을 던졌을 때 나온 불꽃이 Star가 되었고, 이 Star들이 항상 Moon을 따라다녔다는 이야기이 므로 정답은 ②이다.

2 (a) Sun과 Moon은 항상 함께 했다고(The Sun and the Moon were always together.) 했으므로 글의 내용과 틀리다.

(b) Star들은 Moon을 던져버린 Sun에게 화가 났다고(The Stars were angry at the Sun.) 했으므로 글의 내용과 틀리다.

3 Ocean은 Sun을 낮에, Moon을 밤에 보기로 했으며, 그 후로 세 친구는 모두 행복해졌다고 했다. 따라서 밑줄 친 ⓐ는 the Sun, the Moon, and the Ocean을 가리키므로 빈칸의 정답은 Ocean이다.

4 | Sun은 Moon을 멀리 ⓐ <u>던졌다</u>. Moon은 하늘의 벽에 부딪치면서 많은 불꽃을 ⓑ <u>만들었다</u>. |

Build Up

❶ Sun은	—	(C) 질투했다.		(E) Moon을 멀리 던졌다.
❷ Moon은	—	(A) 많은 불꽃을 만들었다.		
❸ Star들은	—	(D) Sun을 공격하고 싶었다.		(F) 항상 Moon을 따라다녔다.
❹ Ocean은	—	(B) Star들을 막았다.		

12 정답과 해설

Sum Up

❸ Ocean은 Moon을 위해 파도를 만들었다. Sun은 질투가 났다. → ❹ Sun은 Moon을 던졌다. Moon은 Star들을 만들었다. →

❶ Star들은 Sun을 공격하고 싶었지만, Ocean이 그들을 막았다. → ❷ Ocean은 낮 동안에는 Sun을 보고 밤에는 Moon을 봤다.

끊어서 읽기

Sun과 Moon은 항상 함께 있었다.　그들은 Ocean을 사랑했다.　// 그리고
[1]The Sun and the Moon were always together. [2]They loved the Ocean, // and

Ocean은 그들을 사랑했다.　어느 날, / Ocean은 파도를 만들었다 / Moon을 위해.
the Ocean loved them. [3]One day, / the Ocean made waves / for the Moon.

Sun은 질투가 났다.　그는 Moon을 던졌다 / 멀리!
[4]The Sun became jealous. [5]He threw the Moon / far away!

Moon은 부딪쳤다 / 하늘의 벽에!　그는 많은 불꽃을 만들었다 / 그리고 그들을 Star라고
[6]The Moon hit / the wall of the sky! [7]He made many sparks / and called them

이름 지었다.　Star들은 화가 났다 / Sun에게.　그들은 원했다 / Sun을 공격하기를.
Stars. [8]The Stars were angry / at the Sun. [9]They wanted / to attack the Sun.

하지만, / Ocean은 그들을 막았다.　그녀는 보기로 결심했다 / 낮 동안에는 Sun을 /
[10]But, / the Ocean stopped them. [11]She decided to see / the Sun during the day /

그리고 밤에 Moon을.　세 친구는 행복했다.　그리고 / Star들은 항상
and the Moon at night. [12]The three friends were happy. [13]And / the Stars always

따라다녔다 / Moon을.
followed / the Moon.

우리말 해석

Sun, Moon 그리고 Ocean

[1]Sun과 Moon은 항상 함께 있었어요. [2]그들은 Ocean을 사랑했고, Ocean도 그들을 사랑했지요. [3]어느 날, Ocean이 Moon을 위해 파도를 만들었어요. [4]Sun은 질투가 났어요. [5]그는 Moon을 멀리 던져버렸어요!
[6]Moon은 하늘의 벽에 부딪치고 말았어요! [7]그는 많은 불꽃을 만들어서 그들을 Star라고 이름 지었어요. [8]Star들은 Sun에게 화가 났어요. [9]그들은 Sun을 공격하고 싶었어요. [10]하지만, Ocean이 그들을 막았어요. [11]그녀는 낮 동안에는 Sun을, 밤에는 Moon을 보기로 결심했어요. [12]세 친구는 행복했어요. [13]그리고 Star들은 항상 Moon을 따라다녔답니다.

¹The Sun and the Moon were **always** together. ¹³And the Stars **always** followed the Moon.
　　　　주어　　　　　　　동사　　　　　　　　　　　주어　　　　　　　동사　　　　목적어

→ always(항상)와 같은 부사는 보통 be동사 뒤, 일반동사 앞에 온다.

⁶The Moon hit *the wall* [of the sky]!
　　주어　　동사　　　목적어

→ of the sky는 the wall을 뒤에서 꾸며준다.

¹¹She decided to see the Sun in the day **and** (to see) the Moon at night.
　주어　　동사　　　　　목적어1　　　　　　　　　　　　목적어2

→ decided의 두 목적어 to see the Sun in the day와 the Moon at night가 and로 연결되었다.

→ the Moon 앞에 to see가 반복되어 생략되었다.

02　Shooting Stars　　　　pp.36 ~ 39

p. 37 Check Up	1 ②	2 ③	3 (a) ✕ (b) ◯	4 hear
	5 ⓐ: opened up	ⓑ: fall		

p. 38 Build Up	ⓐ open up	ⓑ Stars	ⓒ sees	ⓓ hear

p. 38 Sum Up	ⓐ wish	ⓑ stories	ⓒ thought	ⓓ fall

p. 39 Look Up	A 1 angel	2 fall	3 look for
	B 1 wish - 소원	2 come true - 이루어지다	
	3 someone - 누군가	4 story - 이야기	
	C 1 look for	2 both	3 sometimes

Check Up

1 오래 전부터 시대나 문화가 다른 사람들이 별똥별에 소원을 빌게 된 이유를 설명하는 글이므로 정답은 ②이다.

2 그리스인들은 별똥별이 인간 영혼이라고 생각했다고(Greek people thought that they were human souls.) 했으므로 정답은 ③이다.

3 (a) 기독교인들도 별똥별에 소원을 빌기 시작했다고(They both started to wish upon a shooting star.) 했으므로 글의 내용과 틀리다.

　(b) 한 과학자의 글에서, 신들이 가끔 하늘을 열어본다고(In his writings, the gods sometimes opened up the skies.) 했으므로 글의 내용과 맞다.

4 빈칸 문장 뒤에는 신이 소원을 들을지도 모르니 별똥별을 찾으라는 내용이 이어진다. 따라서 빈칸을 포함한 문장에서는 누군가 별똥별을 보고 소원을 빌었다면, 신이 그것을 '들을' 것이라는 내용이 문맥상 자연스럽다. 따라서 빈칸 (A)에는 hear(듣다)가 알맞다.

5
> 신들은 가끔 하늘을 ⓐ 열었고, 별들은 그곳에서 ⓑ 떨어지곤 했다.

Build Up

별똥별에 대한 한 과학자의 글의 내용을 순서대로 정리해 본다.

> 신들은 하늘을 ⓐ 열고 지구를 내려다본다.

↓

> ⓑ 별들이 하늘에서 떨어진다.

↓

> 누군가 떨어지는 별을 ⓒ 보고 소원을 빈다.

↓

> 신들이 그 소원을 ⓓ 듣는다.

Sum Up

> 오래 전에, 사람들은 떨어지는 별을 보았을 때 ⓐ 소원을 빌기 시작했다. 별똥별에 관한 많은 ⓑ 이야기들이 있었다. 어떤 사람들은 그것들이 인간 영혼이라고 ⓒ 생각했다. 다른 사람들은 그것이 천사라고 생각했다. 한 과학자는 신들이 하늘을 열었을 때, 별들이 ⓓ 떨어질 것이라고 생각했다. 그러고 나서 그 신들은 소원을 들을 것이고, 당신의 소원은 이루어질 것이다.

✂ 끊어서 읽기

오래 전에, / 이야기들이 있었다 / 별똥별에 관한. 그리스인들은 생각했다 //
[1]Long ago, / there were stories / about shooting stars. [2]Greek people thought //

그것들이 인간 영혼이라는 것을. 기독교인들은 생각했다 // 그것들이 천사들이라는 것을.
that they were human souls. [3]Christians thought // that they were angels.

그들은 둘 다 시작했다 / 별똥별에 소원을 빌기를.
[4]They both started / to wish upon a shooting star.

나중에, / 한 과학자가 글을 썼다 / 별똥별에 대해. 그의 글 속에서, /
[5]Later, / a scientist wrote / about shooting stars. [6]In his writings, /

신들은 가끔 열었다 / 하늘을. 그들은 내려다보았다 / 지구를. 그때

the gods sometimes opened up / the skies. [7]They looked down / at the earth. [8]Then

별들은 떨어지곤 했다/ 그곳에서. 누군가 떨어지는 별을 봤을 때 / 그리고 소원을 빌었을 때,

stars would fall / from there. [9]When someone saw a falling star / and made a wish,

// 신들이 그 소원을 들을 것이다.

// the gods would hear the wish.

찾아라 / 별똥별을. 신들이 들을지도 모른다 / 당신의 소원을. 당신의 소원이 /

[10]Look for / a shooting star. [11]The gods may hear / your wish. [12]Your wish /

이루어질지도 모른다.

may come true.

🌿 우리말 해석

별똥별

[1]오래 전에, 별똥별에 관한 이야기들이 있었습니다. [2]그리스인들은 그것이 인간 영혼이라고 생각했어요. [3]기독교인들은 그것이 천사라고 생각했지요. [4]그들은 둘 다 별똥별에게 소원을 빌기 시작했습니다.

[5]나중에, 한 과학자가 별똥별에 대해 글을 썼습니다. [6]그의 글에서, 신들은 때때로 하늘을 열었어요. [7]그들은 지구를 내려다보았어요. [8]그때 별들이 거기에서 떨어지곤 했어요. [9]누군가 떨어지는 별을 보고 소원을 빌었을 때, 신들이 그 소원을 들을 거예요.

[10]별똥별을 찾아보세요. [11]신들이 여러분의 소원을 들을지도 모르잖아요. [12]여러분의 소원이 이루어질 수도 있어요.

🌿 주요 문장 분석하기

[2]Greek people thought **that** they were human souls.
　　　주어　　　　동사　　　　　　목적어

[3]Christians thought **that** they were angels.
　　주어　　　동사　　　　　　목적어

➡ 동사 think[thought]는 「that + 주어 + 동사」의 형태인 목적어를 가질 수 있다.

➡ 「that + 주어 + 동사」는 '~하다는 것'으로 해석한다.

[4]They **both** *started to wish* upon a shooting star.
　　주어　　　동사　　　　　　　　목적어

➡ both는 '둘 다'라는 뜻이므로 주어인 They both는 '그들 둘 다'라는 뜻이 된다.

➡ 「start[started] to + 동사원형」은 '~하기 시작하다[시작했다]'라는 의미이다.

[10]**Look for** a shooting star.
　　동사　　　　목적어

➡ 주어(You)가 없이 동사원형으로 시작되는 명령문이다.

[11]The gods **may hear** your wish.
　　주어　　　동사　　　목적어

→ may는 '~할지도 모른다'라는 뜻의 조동사이다. 조동사는 동사 앞에 쓰여 의미를 더해준다.
　이때 조동사 뒤에는 항상 동사원형이 온다.

03 Drawing in the Sky

p. 41 Check Up	1 ②	2 (a) ○ (b) × (c) ×	3 ②	4 ⓐ: stars ⓑ: drew
p. 42 Build Up	1 (C)	2 (D)	3 (A)	4 (B)
p. 42 Sum Up	ⓐ stars	ⓑ draw	ⓒ swan	ⓓ finger	ⓔ sky

p. 43 Look Up

A 1 draw　　2 look at　　3 finger

B 1 clear - (날씨가) 맑은　　2 add - 덧붙여 말하다
　3 swan - 백조　　4 look like - ~처럼 보이다

C 1 lucky　　2 drew　　3 Look at

Check Up

1 아빠와 캠핑 중에 밤하늘을 보면서 별자리를 찾는다는 내용이므로 알맞은 제목은 ②이다.

2 (a) 글의 '나'는 여름에 아빠와 캠핑하러 간다고(In summer, my dad and I go camping.) 했으므로 글의 내용과 맞다.

(b) 운이 좋으면 별똥별을 본다고(When we are lucky, we see shooting stars.) 했으므로 글의 내용과 틀리다.

(c) 아빠가 손가락으로 백조자리를 그리기 시작했지만, '나'는 아무것도 보지 못했다고(Then Dad started to draw ~ I didn't see anything.) 했으므로, 백조자리를 먼저 발견한 것은 아빠임을 알 수 있다.

3 아빠가 백조자리의 모양을 손가락으로 그리고 있으므로, 아빠를 따라 '내'가 그리는 것도 하늘에 있는 백조이다.

① 텐트　② 백조　③ 별

4
> 아빠와 나는 하늘에 있는 ⓐ 별들을 보고 있었다. 그때 아빠가 손가락으로 ⓑ 그림을 그리기 시작했다.

Build Up

❶ – (C) 우리는 텐트를 설치한다.

❷ – (D) 우리는 캠프파이어를 한다.

❸ – (A) 우리는 하늘의 별들을 본다.

❹ – (B) 우리는 운이 좋으면 별똥별을 본다.

Sum Up

어느 날 밤, 맑은 하늘에 많은 **a** 별들이 있었다. 아빠와 나는 별들을 보고 있었다. 그때 아빠가 손가락으로 **b** 그림을 그리기 시작했다. 그것은 **c** 백조처럼 보였다. 나는 아빠의 **d** 손가락을 따라갔고 **e** 하늘에 백조를 그렸다.

끊어서 읽기

여름에, / 아빠와 나는 캠핑을 간다. 우리는 텐트를 설치한다 / 그리고 캠프파이어를
[1]In summer, / my dad and I go camping. [2]We set up our tent / and make a

한다. 밤에, / 우리는 별들을 본다 / 하늘에 있는. 우리가 운이 좋을 때
campfire. [3]At night, / we look at the stars / in the sky. [4]When we are lucky,

// 우리는 별똥별들을 본다.
// we see shooting stars.

어느 날 밤, / 하늘은 매우 맑았다. 우리는 하늘을 보고 있었다. 정말 많은 별들이
[5]One night, / the sky was very clear. [6]We were looking at the sky. [7]There were

있었다. 그때 / 아빠가 시작했다 / 그림 그리기를 / 그의 손가락으로. 아빠는 말했다. // "봐봐.
so many stars. [8]Then / Dad started / to draw / with his finger. [9]He said, // "Look.

저건 백조자리야!" 나는 아무것도 보지 못했다. 그때 아빠가 덧붙여 말했다. // "저것은 백조처럼
[10]That's Cygnus!" [11]I didn't see anything. [12]Then he added, // "That one looks like

보인단다. 내 손가락을 따라가렴." 나는 아빠의 손가락을 따라갔다. 나는 백조를 그렸다 / 하늘에.
a swan. [13]Follow my finger." [14]I followed his finger. [15]I drew a swan / in the sky.

우리말 해석

하늘에 그림 그리기

[1]여름에, 아빠와 나는 캠핑을 가요. [2]우리는 텐트를 치고 캠프파이어를 해요. [3]밤에, 우리는 하늘의 별들을 봐요. [4]운이 좋을 때, 우리는 별똥별들을 보기도 하지요.
[5]어느 날 밤, 하늘은 매우 맑았어요. [6]우리는 하늘을 보고 있었어요. [7]정말 많은 별들이 있었지요. [8]그때 아빠가 손가락으로 그림을 그리기 시작했어요. [9]아빠는 "봐봐. [10]저건 백조자리야!"라고 말하셨어요. [11]나는 아무것도 보지 못했어요. [12]그때 아빠가 덧붙여 말하셨어요. "저것은 백조처럼 보인단다. [13]내 손가락을 따라가렴." [14]나는 아빠의 손가락을 따

라갔어요. ¹⁵나는 하늘에 백조를 그렸어요.

🌿 주요 문장 분석하기

⁶<u>We</u> <u>**were looking at**</u> the sky.
주어   동사

→ 「was[were]+동사원형+-ing」의 형태는 '~하고 있었다'라는 의미의 과거진행형이다.

⁷**There were** so many stars.

→ 「There were+복수명사」는 '~이 있었다'라는 의미이다.

⁸Then <u>Dad</u> **started** *to draw* with his finger.
      주어   동사   목적어

→ 「start[started]+to+동사원형」의 형태로 '~하기 시작하다[시작했다]'라는 의미이다.

→ to draw는 '그림 그리는 것'으로 해석하며, to draw with his finger는 동사 started의 목적어이다.

04	**The Sky Has Everything**			pp.44 ~ 47
p. 45 **Check Up**	1 ③	2 (a) ○ (b) ✕ (c) ○	3 ③	4 ⓐ: at ⓑ: for
p. 46 **Build Up**	a used	b way	c advice	d plan
p. 46 **Sum Up**	a answers	b showed	c directions	d find
p. 47 **Look Up**	A 1 way 2 home 3 follow			
	B 1 direction - 방향 2 still - 여전히			
	3 use - 사용하다 4 newspaper - 신문			
	C 1 show 2 answer 3 home			

Check Up

1 별자리의 탄생 배경, 그리고 예전과 오늘날의 쓰임에 대해 설명하는 내용이므로 정답은 ③이다.

2 (a) 처음 하늘을 연구한 사람들은 바빌로니아인들이므로(Babylonians watched and first studied the sky.) 글의 내용과 맞다.

(b) 여행자들이 별을 보고 길을 찾았다고(Travelers followed the stars and found their way.) 했으므로 글의 내용과 틀리다.

(c) 사람들은 조언을 구하기 위해 별들을 보았으며, 하늘이 많은 신들의 집이라고 생각했으므로(They thought the sky was the home of many gods.) 했으므로 글의 내용과 맞다.

3 농부는 별을 보고 농사의 시기를 알았고, 오늘날 사람들은 신문에서 별자리를 보고 하루를 계획한다고 했다.

글에서는 하늘을 보고 연구했다고 했지만 우주 역사 연구에 대한 내용은 등장하지 않는다.

4   사람들은 하늘에 있는 별들을 ⓐ 보며 답을 ⓑ 찾았다.

Build Up

별자리와 관련된 세부 정보들을 정리해 본다.

사람들은 어떻게 별자리를 사용했는가[사용하는가]?

- 농부들은 달력으로 별자리를 ⓐ 사용했다.
- 여행자들은 별을 따라가서 ⓑ 길을 찾았다.
- 사람들은 ⓒ 조언을 구하기 위해 별을 보았다.
- 어떤 사람들은 자신의 별자리로 하루를 ⓓ 계획한다.

Sum Up

오래 전에, 사람들은 하늘에서 ⓐ 답을 찾고 싶었다. 바빌로니아인들은 열두 개의 별자리를 생각해 냈다. 별자리는 한 해 중의 시기와 ⓒ 방향을 ⓑ 보여 주었다. 어떤 사람들은 조언을 구하기 위해 별들을 보았다. 오늘날에도, 여러분은 여전히 신문에서 별자리를 ⓓ 찾아서 자신의 하루를 계획할 수 있다.

끊어서 읽기

오래 전에, / 사람들은 답을 찾았다 / 하늘에서. 바빌로니아인들은 보았다 /
[1]Long ago, / humans looked for answers / in the sky. [2]Babylonians watched /

그리고 처음 하늘을 연구했다. 그러고 나서 그들은 생각해 냈다 / 열두 개의 별자리를.
and first studied the sky. [3]Then they came up with / twelve star signs.

별자리는 보여 주었다 / 한 해 중의 시기 / 그리고 방향을. 농부들은 하늘을
[4]The star signs showed / the time of the year / and directions. [5]Farmers used

사용했다 / 달력으로. 여행자들은 별을 따라갔다 / 그리고 그들의 길을 찾았다.
the sky / as a calendar. [6]Travelers followed the stars / and found their way.

사람들은 또한 별을 보았다 / 조언을 구하려고. 그들은 생각했다 // 하늘이
[7]People also looked at the stars / for advice. [8]They thought // the sky was

많은 신들의 집이라고. 여전히 오늘날에, / 어떤 사람들은 찾는다 / 그들의 별자리를 /
the home of many gods. [9]Still today, / some people find / their star signs / in the

신문에서. 그들은 때때로 그들의 하루를 계획한다 / 그것을 가지고.
newspaper. [10]They sometimes plan their day / with them.

하늘은 모든 것을 가지고 있어요

¹오래 전에, 사람들은 하늘에서 답을 찾았습니다. ²바빌로니아인들은 하늘을 보고 처음으로 그것을 연구했습니다. ³그러고 나서 그들은 열두 개의 별자리를 생각해 냈습니다. ⁴별자리는 한 해 중의 시기와 방향을 보여 주었어요. ⁵농부들은 하늘을 달력으로 사용했어요. ⁶여행자들은 별을 따라 길을 찾았습니다.

⁷사람들은 조언을 구하려고 별을 쳐다보기도 했어요. ⁸그들은 하늘이 많은 신들의 집이라고 생각했거든요. ⁹여전히 오늘날에도, 어떤 사람들은 신문에서 자신의 별자리를 찾습니다. ¹⁰그들은 때때로 그것을 가지고 자신의 하루를 계획합니다.

🌿 주요 문장 분석하기

²Babylonians watched **and** first studied *the sky*.
　　주어　　　동사1　　　　동사2　　목적어

→ and로 watched와 studied가 연결되었다.

→ the sky는 두 개의 동사에 공통으로 쓰인 목적어이다.

⁴The star signs showed *the time* [of the year] **and** directions.
　주어　　　　동사　　　목적어1　　　　　　목적어2

→ the time of the year와 directions가 and로 연결되었다.

→ of the year는 앞에 the time을 뒤에서 꾸며준다.

⁵Farmers **used** the sky **as** a calendar.
　　　　　　　　A　　　　B

→ 「use[used] A as B」는 'A를 B로 사용하다[사용했다]'라는 의미이다.

⁸They **thought** (that) the sky was *the home* [of many gods].
　주어　　동사　　　　　　　목적어

→ 동사 think[thought]는 「(that)+주어+동사」의 형태인 목적어를 가질 수 있다.

→ 「(that)+주어+동사」는 '~하다는 것'이라 해석하며, that은 생략이 가능하다.

→ of many gods는 앞에 the home을 뒤에서 꾸며준다.

Environment

01   Kate's Art

pp.50 ~ 53

p. 51 **Check Up**	1 ③	2 (a) × (b) ×	3 ③	4 ⓐ: **make** ⓑ: **used**
p. 52 **Build Up**	1 (C)	2 (A)	3 (B)	
p. 52 **Sum Up**	ⓐ **took**	ⓑ **art**	ⓒ **used**	ⓓ **toys**
p. 53 **Look Up**	A 1 **sign**	2 **bottle**	3 **throw away**	
	B 1 **art** - 미술품	2 **used** - 사용된, 중고의		
	3 **recycle** - 재활용하다	4 **piece of** - ~의 조각, 부분		
	C 1 **sign**	2 **found**	3 **throw away**	

Check Up

1 Kate가 공원에서 열린 미술 전시회를 다녀온 뒤 오래된 장난감으로 새로운 미술품을 만든 이야기이므로 정답은 ③이다.

2 (a) 한 예술가가 헌 옷으로 만든 것은 인형이었으므로(First, she saw dolls. An artist made them with pieces of old clothes.) 글의 내용과 틀리다.

  (b) Kate는 집에서 풀과 오래된 장난감 부분들을 사용하여, 새로운 액자를 만들었다고(At home, Kate found ~ a new picture frame!) 했으므로 글의 내용과 틀리다.

3 Kate가 처음에 오래된 장난감을 버리려고 했지만, 전시회를 다녀온 후 버리려고 했던 장난감 부분들로 새로운 액자를 만들었다는 내용이다. 따라서 Kate의 아빠는 오래된 물건을 버리는 대신 새롭게 재활용하는 방법을 보여 주기 위해 미술 전시회에 데려갔다는 것을 알 수 있다.

4
> 우리는 오래되고 ⓑ 사용된 물건들로 미술품을 ⓐ 만들 수 있다.

Build Up

세 사람이 오래되고 사용된 물건으로 만든 새로운 미술품들을 정리해 본다.

❶ 한 예술가는 코끼리를 만들었다	❷ Kate는 액자를 만들었다	❸ 한 예술가는 인형들을 만들었다
(C) 사용된 플라스틱 병들로.	(A) 그녀의 오래된 장난감들의 작은 부분들로.	(B) 헌 옷 조각들로.

Kate는 그녀의 오래된 장난감들을 버리고 싶었다. 그때 그녀의 아빠가 그녀를 미술 전시회에 ⓐ 데리고 갔다. 몇몇 예술가들이 ⓒ 사용된 물건으로 ⓑ 미술품을 만들었다. 집에서, Kate는 자신의 오래된 ⓓ 장난감들로 미술품을 만들었다.

🌿 끊어서 읽기

Kate는 버리고 싶었다 / 그녀의 오래된 장난감들을. 그때 그녀의 아빠가 그녀를 데리고 갔다 / 미술
[1]Kate wanted to throw away / her old toys. [2]Then her dad took her / to an art

전시회에 / 공원에 있는.   표지판이 있었다.   // '재활용하세요! 재사용하세요! 미술품을 만들어요!'
show / in the park. [3]There was a sign, // "Recycle! Reuse! Make Art!"

먼저, / Kate는 인형들을 보았다.   한 예술가가 그것들을 만들었다 / 헌 옷 조각들로.   그리고 나서
[4]First, / Kate saw dolls. [5]An artist made them / with pieces of old clothes. [6]Then

그녀는 코끼리를 보았다.   다른 예술가가 그것을 만들었다 / 사용된 플라스틱 병들로.
she saw an elephant. [7]Another artist made it / with used plastic bottles.

Kate의 아빠가 말했다. // "봤지? 우리는 미술품을 만들 수 있단다 / 사용된 물건들로."
[8]Kate's dad said, // "See? [9]We can make art / with used things."

집에서,   /   Kate는 찾았다 /   풀과 작은 부분들을   / 그녀의 오래된 장난감들의. 그녀는 미술품을
[10]At home, / Kate found / glue and small pieces / of her old toys. [11]She wanted to

만들고 싶었다 / 그것들로.   그리고 그녀는 그것을 만들었다.   그것은 새로운 액자였다!
make art / with them. [12]And she made it. [13]It was a new picture frame!

🌿 우리말 해석

Kate의 미술품
[1]Kate는 자신의 오래된 장난감들을 버리고 싶었습니다. [2]그때 그녀의 아빠가 그녀를 공원에서 열리는 미술 전시회에 데리고 갔어요. [3]'재활용해요! 재사용해요! 미술품을 만들어요!'라고 쓰인 표지판이 있었어요.
[4]먼저, Kate는 인형들을 보았어요. [5]한 예술가가 헌 옷 조각들로 그것들을 만들었어요. [6]그리고 나서 그녀는 코끼리를 보았습니다. [7]다른 예술가가 사용된 플라스틱 병들로 그것을 만들었어요. [8]Kate의 아빠가 말했어요, "봤지? [9]우리는 사용된 물건들로 미술품을 만들 수 있단다."
[10]집에서, Kate는 풀과 자신의 오래된 장난감들의 작은 부분들을 찾았어요. [11]그녀는 그것들로 미술품을 만들고 싶었어요. [12]그리고 미술품을 만들었답니다. [13]그것은 새로운 액자였어요!

¹Kate wanted **to throw away** her old toys.
주어　　동사　　　　　목적어

→ to throw away는 '버리는 것'으로 해석하며, to throw away her old toys는 동사 wanted의 목적어이다.

²Then her dad **took** her **to** *an art show* [in the park].

→ in the park는 an art show를 뒤에서 꾸며준다.

→ 「take[took] A to B」는 'A를 B로 데려가다[데려갔다]'라는 의미이다.

⁵An artist made them **with** pieces of old clothes.
주어　　　동사　　목적어

→ 전치사 with가 '~로, ~을 이용하여'라는 뜻으로 쓰였다.

02	**Wangari's Umbrella**			pp.54 ~ 57
p. 55 **Check Up**	1 ②	2 (a)✕ (b)✕　3 ③　4 ①	5 ⓐ: trees	ⓑ: umbrella
p. 56 **Build Up**	3 → 1 → 2 → 4			
p. 56 **Sum Up**	ⓐ like	ⓑ plant	ⓒ told	ⓓ grew
p. 57 **Look Up**	A 1 desert	2 plant		3 tell
	B 1 under - ~의 아래에	2 like - ~와 비슷한		
	3 study - 공부하다	4 home - 고국으로; 고향		
	C 1 plant	2 each		3 return

Check Up

1 사막이 되어 가던 케냐에 나무를 심어서 숲을 만든 Wangari의 업적을 보여 주는 전기문이다.

2 (a) Wangari가 원래 초록 나무들의 우산 아래에 살았다고(Wangari lived under an umbrella of green trees in Kenya.) 했으므로 글의 내용과 틀리다.
(b) Wangari가 마을 여자들에게 나무를 나눠주었고, 그 여자들이 나무를 심었다고(The women planted trees. More women started to do so.) 했으므로 글의 내용과 틀리다.

3 빈칸 앞에서는 나무 우산이 있던 고향이 변했다고 했고, 빈칸 뒤에서 그곳은 사막과 같았다고 했으므로 빈칸을 포함한 문장에서는 '나무가 없었다'는 내용이 와야 자연스럽다.
① 많은 차들　② 집이 없는　③ 나무가 없는

4 Wangari는 예전에 '초록 나무들의 우산 아래에서' 살았다고 했으므로, 밑줄 친 ⓐ에서 '초록 우산이 돌아왔다'는 것은 나무들이 많아졌다는 것을 의미한다. 따라서 정답은 ①이다.
① 다시 나무들이 많이 있었다.　② 마을 여자들이 많이 있었다.　③ 케냐에는 사막이 많이 있었다.

5 | Wangari와 마을 여자들은 ⓐ 나무를 심었고, 케냐에 초록 ⓑ 우산이 돌아왔다.

Build Up

❸ 그녀는 미국에서 공부했다. → ❶ 그녀는 고향으로 돌아왔지만, 나무가 없었다. →

❷ 그녀는 자신의 뒷마당에 나무를 심었다. → ❹ 그녀는 마을 여자들에게 어린 나무를 주었고, 그 여자들은 나무를 심었다.

Sum Up

Wangari가 케냐로 돌아왔을 때, 그녀의 고향은 사막과 ⓐ 비슷했다. 그래서 그녀는 나무를 ⓑ 심기 시작했다. 그녀는 그것에 대해 많은 마을 여자들에게 ⓒ 알렸다. 그 여자들도 나무를 심기 시작했다. 그 나무들은 키가 ⓓ 커졌고 다시 나무들이 많아졌다.

끊어서 읽기

Wangari는 살았다 / 초록 나무들의 우산 아래에 / 케냐에 있는 그녀는 그러고 나서
[1]Wangari lived / under an umbrella of green trees / in Kenya. [2]She then went

미국으로 갔다 / 그리고 그곳에서 공부했다 6년 후, / 그녀는 고향으로 돌아왔다 / 케냐로.
to America / and studied there. [3]Six years later, / she returned home / to Kenya.

하지만 그녀의 고향은 변했다. 나무가 없었다. 그곳은 사막과 비슷했다.
[4]But her home changed. [5]There were no trees. [6]It was like a desert.

Wangari는 나무를 심었다 / 그녀의 뒷마당에. 그녀는 알렸다 / 마을 여자들에게
[7]Wangari planted trees / in her backyard. [8]She told / the village women

/ 나무를 심는 것에 대해. 그녀는 주었다 / 어린 나무를 / 그들 각각에게. 그 여자들은
/ about planting trees. [9]She gave / a small tree / to each of them. [10]The women

나무를 심었다. 더 많은 여자들이 시작했다 / 그렇게 하기를.
planted trees. [11]More women started / to do so.

어린 나무들은 뿌리를 내렸다 / 그리고 키가 커졌다. 다른 식물들도 자랐다. 무슨 일이 일어났을까?
[12]The small trees took root / and grew tall. [13]Other plants grew. [14]What happened?

초록 우산이 / 케냐의 / 돌아왔다.
[15]The green umbrella / in Kenya / came back.

Wangari의 우산

¹Wangari는 케냐에 있는 초록 나무들의 우산 아래에 살았어요. ²그녀는 그러고 나서 미국으로 갔고 그곳에서 공부했어요. ³6년 후, 그녀는 케냐 고향으로 돌아왔습니다. ⁴하지만 그녀의 고향은 변해버렸어요. ⁵나무가 없었어요. ⁶마치 사막과도 비슷했지요.

⁷Wangari는 자신의 뒷마당에 나무를 심었습니다. ⁸그녀는 마을 여자들에게 나무를 심는 것에 대해 알렸어요. ⁹그녀는 그들 각각에게 어린 나무를 하나씩 주었습니다. ¹⁰여자들은 나무를 심었어요. ¹¹더 많은 여자들이 그렇게 하기(나무를 심기) 시작했어요.

¹²어린 나무들은 뿌리를 내렸고 키가 커졌어요. ¹³다른 식물들도 자랐어요. ¹⁴무슨 일이 일어났을까요? ¹⁵케냐의 초록 우산이 돌아왔답니다.

🌿 주요 문장 분석하기

⁵**There were no** trees.

➔ 「There was[were] no+명사」는 '~가 없었다'라고 해석한다. trees는 복수명사이기 때문에, were가 사용되었다.

⁹She **gave** a small tree **to** each of them.
　주어　동사　　　목적어

➔ 「give A to B」는 'B에게 A를 주다'라는 뜻이다.

➔ each of+(대)명사는 '각각의 ~'라는 의미이다.

03	Small Change				pp.58 ~ 61

p. 59 **Check Up**	1 ③	2 (a) ✕ (b) ○	3 ①	4 ①	5 ⓐ: save　ⓑ: future
p. 60 **Build Up**	1 (C)	2 (B)	3 (A)		
p. 60 **Sum Up**	ⓐ used	ⓑ burning	ⓒ enough	ⓓ careful	
p. 61 **Look Up**	A 1 warm	2 scared	3 burn		
	B 1 power - 전기, 전력	2 future - 미래			
	3 careful - 신경을 쓰는	4 enough - 충분한			
	C 1 save	2 burned	3 Turn off		

Check Up

1 글의 '나'는 에너지를 절약하기로 결심하고, 작은 행동부터 실천해 나가는 내용이므로 정답은 ③이다.

2 (a) 집에 정전이 일어났을 때 '나'는 무서웠다고(I was scared.) 했으므로 글의 내용과 틀리다.

(b) Bobby는 미래에는 연료가 충분하지 않을 거라고(We won't have enough fuel in the future.) 했으므로 글의 내용과 맞다.

3 미래에는 에너지가 충분하지 않을 것이라고 했으나, 미래 에너지의 종류에 대한 내용은 글에 없다.

4 빈칸 다음에 이어지는 문장에서 누구나 작은 것들로 시작할 수 있다고(Everyone can start with little things.) 했으므로, 빈칸을 포함한 문장에서는 에너지를 절약하는 것은 '쉽다'라는 내용이 들어가야 흐름상 자연스럽다.

① 쉬운   ② 충분한   ③ 어두운

5
> 우리는 ⓑ 미래에 연료가 충분하지 않기 때문에, 에너지를 ⓐ 절약해야 한다.

Build Up

질문		대답
❶ 우리는 에너지로 무엇을 할 수 있는가?	—	(C) 우리는 따뜻한 집에서 살고, 따뜻한 음식을 먹고 컴퓨터 게임을 할 수 있다.
❷ 우리는 왜 에너지를 절약해야 하는가?	—	(B) 우리는 미래에 충분한 연료가 없을 것이다.
❸ 우리는 어떻게 에너지를 절약할 수 있는가?	—	(A) 불을 꺼라. 추울 때 스웨터를 입어라.

Sum Up

> 어느 날 밤, 집에서 전기가 나갔다. 모든 것이 어두워졌다. 그때 내 형은 "우리는 너무 많은 에너지를 ⓐ 사용했어. 우리는 연료를 ⓑ 태워서 에너지를 얻어. 미래에는 ⓒ 충분한 연료가 없을 거야."라고 말했다. 그래서 나는 더 ⓓ 신경을 쓰고 에너지를 절약하기로 결심했다.

✂ 끊어서 읽기

어느 날 밤, / 　　　 전기가 나갔다 / 　집에. 　　　 모든 것이 어두워졌다. 　　　　나는

¹One night, / the power went out / at home. ²Everything became dark. ³I was

무서웠다. 　　　하지만 내 형, Bobby는 침착했다. 　　그는 말했다, // "우리는 사용했어 / 너무 많은 에너지를.

scared. ⁴But my brother, Bobby, was calm. ⁵He said, // "We used / too much energy.

우리는 에너지를 얻어 /　　연료를 태워서.　　하지만 우리는 신경 쓰지 않아 / 그것에 대해. 우리는 가지지

⁶We get energy / by burning fuel. ⁷But we're not careful / about it. ⁸We won't

못할 거야 / 충분한 연료를 /　　미래에는."

have / enough fuel / in the future."

　Bobby의 말이 맞았다.　　　에너지 때문에,　　/ 우리의 집은 따뜻하다.　　나는 따뜻한 음식을 먹는다.

⁹Bobby was right. ¹⁰Because of energy, / our house is warm. ¹¹I eat warm food.

　　나는 컴퓨터 게임을 한다.

¹²I play computer games.

　　그래서 나는 결심했다 /　더 신경 쓰기로.　　　이제, /　　　나는 불을 끈다.　　　　나는 스웨터를

¹³So I decided / to be more careful. ¹⁴Now, / I turn off the lights. ¹⁵I put on a

　입는다　/　　추울 때.　　에너지를 절약하는 것은 쉽다.　　누구나 시작할 수 있다 /

sweater / when it's cold. ¹⁶Saving energy is easy. ¹⁷Everyone can start /

　작은 것들로.

with little things.

🌿 우리말 해석

작은 변화

¹어느 날 밤, 집에 전기가 나갔어요. ²모든 것이 어두워졌어요. ³나는 무서웠어요. ⁴하지만 내 형 Bobby는 침착했어요.
⁵형은 말했어요, "우리는 너무 많은 에너지를 썼어. ⁶우리는 연료를 태워서 에너지를 얻잖아. ⁷하지만 우리는 그것에
대해 신경 쓰지 않아. ⁸미래에는 연료가 충분하지 않을 텐데 말이야."
⁹Bobby 형의 말이 맞았어요. ¹⁰에너지 때문에, 우리 집은 따뜻해요. ¹¹나는 따뜻한 음식을 먹고요. ¹²나는 컴퓨터 게
임을 해요.
¹³그래서 나는 더 신경 쓰기로 결심했어요. ¹⁴이제, 나는 불을 꺼요. ¹⁵나는 추울 때 스웨터를 입어요. ¹⁶에너지를 절약
하는 것은 쉬워요. ¹⁷누구나 작은 것들로 시작할 수 있거든요.

🌿 주요 문장 분석하기

¹⁰**Because of** energy, <u>our home</u> <u>is</u> <u>warm</u>.
　　　　　　　　　　　 주어　　동사　보어

→ 「because of+명사」는 '~ 때문에'라는 의미이다.

¹⁶**Saving** energy *is* easy.
　　<u>　　　　　</u> <u>　　</u>
　　주어　　　동사 보어

→ Saving은 '절약하는 것'이라 해석하며, Saving energy는 문장의 주어이다.
→ 「동사원형+-ing」의 형태가 문장의 주어이므로 동사는 단수 형태인 is가 온다.

| p. 63 **Check Up** | 1 ② | 2 (a) ○ (b) ○ | 3 ② | 4 ② | 5 ⓐ: think ⓑ: save |

| p. 64 **Build Up** | ⓐ March | ⓑ problems | ⓒ Share | ⓓ save |

| p. 64 **Sum Up** | ⓐ water | ⓑ sick | ⓒ dirty | ⓓ shower |

p. 65 **Look Up**

A 1 drink 2 clean 3 think

B 1 still - 아직도 2 thought - 생각
   3 bring - 가져오다 4 often - 자주

C 1 share 2 think 3 Drink

Check Up

1 세계 물의 날은 언제이며, 이 날 무엇을 해야 하는지를 설명하는 글이므로 알맞은 제목은 ②이다.

2 (a) 세계 물의 날에 물에 대한 생각과 이야기를 나누라고(On World Water Day, share your thoughts and stories about water.) 했으므로 글의 내용과 맞다.

(b) 세계 물의 날에 하루 동안이라도 물을 아끼려고 노력하라고(Try to save water for one day.) 했으므로 글의 내용과 맞다.

3 샤워 시간을 줄이고 이를 닦는 동안 물을 잠그라고(Take shorter showers. Turn off the water when you brush your teeth.) 했지만 설거지통을 사용하라는 내용은 글에 없다.

4 빈칸 앞에서는 작은 변화를 말했는데 빈칸 뒤에서는 그것이 세계에 가져올 커다란 변화를 말하고 있으므로, 서로 반대되는 것을 연결하는 접속사 But이 오는 것이 자연스럽다.

① 그래서 ② 그러나 ③ 그 다음에

5   세계 물의 날에 우리는 물 문제에 대해 ⓐ 생각하고 물을 ⓑ 절약하려고 노력해야 한다.

Build Up

세계 물의 날	
그 날은 언제인가?	ⓐ 3월 22일이다.
그 날은 왜 중요한가?	많은 사람들은 여전히 더러운 물을 마신다. 우리는 물 ⓑ 문제에 대해 자주 생각하지 않는다.
우리는 그 날에 무엇을 하는가?	• 세계의 물 문제에 대해 생각하라. • 물에 관한 우리의 생각과 이야기를 ⓒ 나눠라. • 물을 ⓓ 아끼려고 노력하라.

Sum Up

3월 22일

　오늘은 특별한 날이다. 세계 물의 날이다. 세계에는 많은 ⓐ <u>물</u> 문제가 있다. 사람들은 ⓒ <u>더러운</u> 물 때문에 ⓑ <u>아프기도</u> 한다! 그래서 오늘 나는 물을 아끼려고 노력했다. 나는 ⓓ <u>샤워</u>도 더 짧게 했다. 그러고 나서 나는 양치를 할 때 수도를 잠갔다!

끊어서 읽기

3월 22일은 특별한 날이다.　　그것은 세계 물의 날이다.　　이 날에는, / 사람들은 생각한다 /
¹March 22nd is a special day. ²It's World Water Day. ³On this day, / people think /

물 문제에 대해　　/　　세계의.　　많은 사람들이 아직도 마신다 / 더러운 물을.
about water problems / in the world. ⁴Many people still drink / dirty water.

때때로　　/ 그들은 아프게 된다 / 그것으로 인해서. 하지만 우리는 깨끗한 물을 얻는다 / 매일.
⁵Sometimes / they get sick / from it. ⁶But we get clean water / every day.

우리는 이것에 대해 생각하지 않는다 / 자주.
⁷We don't think about this / often.

세계 물의 날에,　　/　　당신의 생각과 이야기를 나눠라　　/　　물에 대한.
⁸On World Water Day, / share your thoughts and stories / about water.

물을 아끼려고 노력하라 /　하루 동안.　　샤워를 더 짧게 하라.　　수도를 잠가라　　//
⁹Try to save water / for one day. ¹⁰Take shorter showers. ¹¹Turn off the water //

당신이 이를 닦을 때.
when you brush your teeth.

그러한 변화들은 작다.　　하지만 그것들은 커다란 변화를 가져올 수 있다 / 우리 세계에.
¹²Those changes are small. ¹³But they can bring great change / to our world.

우리말 해석

안전한 물

¹3월 22일은 특별한 날입니다. ²그 날은 세계 물의 날이에요. ³이 날에는, 사람들은 세계의 물 문제에 대해 생각합니다. ⁴많은 사람들이 아직도 더러운 물을 마셔요. ⁵때때로 그들은 그것으로 인해 아프기도 합니다. ⁶하지만 우리는 매일 깨끗한 물을 얻고 있죠. ⁷우리는 이것에 대해 자주 생각하지 않아요.
⁸세계 물의 날에, 물에 대한 여러분의 생각과 이야기를 나누세요. ⁹하루 동안이라도 물을 절약하도록 노력해보세요. ¹⁰샤워를 더 짧게 하세요. ¹¹이를 닦을 때 수도를 잠그세요.
¹²그러한 변화들은 작습니다. ¹³하지만 그것들은 우리 세계에 커다란 변화를 가져올 수 있습니다.

⁵**Sometimes** they **get** *sick* from it.
　　　　　　　 주어　동사　보어

→ Sometimes는 어떤 일이 얼마나 자주 일어나는지 나타내는 부사이다.

→ Sometimes는 주로 be동사나 조동사 뒤, 일반동사 앞에 쓰는데, 강조를 위해 문장 맨 앞이나 끝에 오기도 한다.

→ 「get+형용사」는 '(어떤 상태가) 되다'라는 의미이다.

⁷We don't think about this **often**.

→ often은 '자주, 종종'이라는 의미로 어떤 일이 얼마나 자주 일어나는지 나타내는 부사이다.

→ often은 보통 be동사나 조동사 뒤, 일반동사 앞에 쓰이지만, 문장 전체를 꾸며주기 위해 문장 맨 끝에 왔다.

⁸**On** World Water Day, ***share*** your thoughts and stories about water.

→ 특별한 날 앞에서 날짜, 요일, 때를 나타내는 전치사 on이 사용되었다.

→ 주어 없이 동사원형으로 시작하는 명령문으로, '~하라'라고 해석한다.

4 Dumplings

01 The Ugly Dumpling
pp.68 ~ 71

p. 69 **Check Up**	1 ② 2 ③ 3 (a) ○ (b) ○ (c) ✕ 4 ⓐ: **different** ⓑ: **friends**	
p. 70 **Build Up**	ⓐ **dirty** ⓑ **friends** ⓒ **different** ⓓ **stayed** ⓔ **like**	
p. 70 **Sum Up**	2 → 4 → 3 → 1	
p. 71 **Look Up**	A 1 **show up** 2 **join** 3 **different**	
	B 1 **other** - 다른 2 **steamed** - (음식이) 찐	
	3 **ugly** - 못생긴 4 **only** - 오직 ~만	
	C 1 **leave** 2 **friends** 3 **different**	

Check Up

1 다른 만두와 모습이 다른 특별한 만두와 그의 유일한 친구인 쥐의 이야기이므로 정답은 ②이다.

2 못생긴 만두는 다른 만두들과 모습이 달라서(The ugly dumpling looked different from others.) 친구가 없었다.

3 (a) 쥐와 못생긴 만두는 부엌을 나와서 사람들을 보았고, 그들은 만두를 먹고 있었다고(People were eating dumplings.) 했으므로 글의 내용과 맞다.

(b) 못생긴 만두는 못생긴 만두가 아니라 찐빵이었다고(The ugly dumpling was not an ugly dumpling. He was a steamed bun!) 했으므로 글의 내용과 맞다.

(c) 다른 (찐)빵들은 쥐를 좋아하지 않았다고(But the other buns didn't like the mouse.) 했으므로 글의 내용과 틀리다.

4 못생긴 만두는 다른 것들과 ⓐ 달랐다. 그는 쥐와 ⓑ 친구로 남았다.

Build Up

쥐는
- ⓐ 더러웠다.
- 부엌에 나타났다.
- 못생긴 만두와 ⓑ 친구가 되었다.

못생긴 만두는
- 다른 것(만두)들과 ⓒ 달랐다.
- 쥐와 친구로 ⓓ 남았다.

다른 (찐)빵들은
- 못생긴 만두와 똑같이 생겼다.
- 쥐를 ⓔ 좋아하지 않았다.

❷ 못생긴 만두는 다른 만두들과 다르게 생겼다. 그는 친구가 없었다. →

❹ 못생긴 만두와 쥐는 친구가 되었다. →

❸ 못생긴 만두는 찐빵이었다. 하지만 다른 빵들은 그 쥐를 좋아하지 않았다. →

❶ 오직 못생긴 만두만 쥐와 친구로 남았다.

끊어서 읽기

못생긴 만두가 하나 있었다.   그 못생긴 만두는 다른 것들과 달라 보였다.
¹There was an ugly dumpling. ²The ugly dumpling looked different from others.

그는 친구가 없었다.   그때 더러운 쥐 한 마리가 나타났다 / 그리고 말했다.
³He didn't have friends. ⁴Then a dirty mouse showed up / and said,

// "내가 너의 친구가 되어줄게."   그들은 부엌을 떠났다 / 그리고 사람들을 보았다.   사람들은
// "I'll be your friend." ⁵They left the kitchen / and saw people. ⁶People were

만두를 먹고 있었다.   그때 그 못생긴 만두는 발견했다 /   또 하나의 못생긴 만두를.
eating dumplings. ⁷Then the ugly dumpling found / another ugly dumpling.

그 못생긴 만두는 만두가 아니었다.   그는 찐빵이었다!   그는 원했다
⁸The ugly dumpling was not a dumpling. ⁹He was a steamed bun! ¹⁰He wanted

/ 다른 (찐)빵들과 함께 하기를.   하지만 /   다른 빵들은 그 쥐를 좋아하지 않았다.   오직
/ to join the other buns. ¹¹But / the other buns didn't like the mouse. ¹²Only the

못생긴 만두만 /   친구로 남았다 /   쥐와.   결국에는, /   그 못생긴 만두는
ugly dumpling / stayed friends / with the mouse. ¹³After all, / the ugly dumpling

/   달랐다   /   다른 빵들과.   그리고 그것은 좋은 것이었다.
/ was different / from the other buns. ¹⁴And that was a good thing.

우리말 해석

못생긴 만두

¹못생긴 만두가 하나 있었어요. ²그 못생긴 만두는 다른 만두들과 다르게 생겼어요. ³그는 친구가 없었어요. ⁴그때 더러운 쥐 한 마리가 나타나서 "내가 너의 친구가 되어줄게."라고 말했지요.
⁵그들은 부엌을 나가서 사람들을 보았어요. ⁶사람들은 만두를 먹고 있었어요. ⁷그때 못생긴 만두는 또 하나의 못생긴 만두를 발견했어요. ⁸그 못생긴 만두는 만두가 아니었어요. ⁹그는 찐빵이었어요! ¹⁰그는 다른 찐빵들과 함께 하고 싶었어요. ¹¹하지만 다른 찐빵들은 그 쥐를 좋아하지 않았지요. ¹²오직 못생긴 만두만 쥐와 친구로 남았어요. ¹³결국, 그 못생긴 만두는 다른 찐빵들과 달랐던 거죠. ¹⁴그리고 그건 좋은 것이었어요.

²The ugly dumpling **looked** *different from* others.
　　　　　　주어　　　　　　동사　　　　보어

→ 「look[looked]+형용사」는 '～해 보이다[보였다]'로 해석한다.

→ different from은 '～와 다른'이라는 의미이다.

⁶People **were eating** dumplings.
　주어　　　　동사　　　목적어

→ 「was[were]+동사원형+-ing」의 형태는 '～하고 있었다, ～하는 중이었다'의 의미인 과거진행형이다.

¹²Only the ugly dumpling **stayed** *friends* with the mouse.
　　　　　　주어　　　　　　동사　　　　보어

→ 「stay[stayed]+명사」는 '～인 채로 있다[있었다]'라는 의미로 특정한 상태나 상황을 계속 유지함을 나타낸다.

02	Delicious Dumplings			pp.72 ~ 75
p. 73 **Check Up**	1 ②	2 ③	3 (a) ○ (b) ○	4 ②	5 ⓐ: **easily** ⓑ: **boil**
p. 74 **Build Up**	2 → 4 → 3 → 1			
p. 74 **Sum Up**	ⓐ **vegetables**	ⓑ **mix**	ⓒ **wrap**	ⓓ **fry**
p. 75 **Look Up**	A 1 **boil**	2 **vegetable**	3 **bowl**	
	B 1 **prepare** - 준비하다	2 **recipe** - 조리법		
	3 **mix** - 섞다	4 **chop up** - 잘게 썰다		
	C 1 **bowl**	2 **add**	3 **Cook**	

Check Up

1 이 글은 만두를 만드는 방법에 대해 단계적으로 설명하기 위해 쓰인 글이므로 정답은 ②이다.

2 만두를 만들 때 사용하는 재료로 돼지고기와 배추는 글의 내용에 있지만(Prepare pork ~ Chinese cabbage or kimchi.), 달걀은 등장하지 않았다.

3 (a) 채소를 잘게 다지고 나서, 그릇 안에 넣어 돼지고기와 함께 잘 섞으라고 했으므로(Put the vegetables and pork in a bowl. ~ mix everything well.) 글의 내용과 맞다.
(b) 만들어진 만두는 삶거나 기름에 튀길 수 있다고(You can boil or fry them.) 했으므로 글의 내용과 맞다.

4 글의 맨 처음에 몇몇 나라에서 새해 첫날에 만두를 만들어 먹는 풍습에 대해 말했으며, 빈칸 뒷문장에서는 '새해 첫날에 더 재미있을 것이다'라는 내용이 이어지므로 정답은 ②이다.

① 크리스마스 ② 새해 첫날 ③ 어버이 날

5 당신은 돼지고기와 몇 가지 채소로 ⓐ 쉽게 만두를 만들 수 있다. 만두를 조리할 때, 그것들을 ⓑ 삶거나 튀겨라.

Build Up

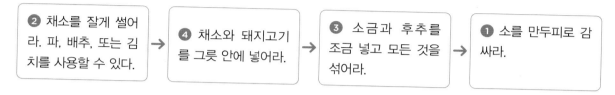

❷ 채소를 잘게 썰어라. 파, 배추, 또는 김치를 사용할 수 있다. → ❹ 채소와 돼지고기를 그릇 안에 넣어라. → ❸ 소금과 후추를 조금 넣고 모든 것을 섞어라. → ❶ 소를 만두피로 감싸라.

Sum Up

여러분의 가족과 함께 만두를 만드는 것은 어떠세요? 그건 쉬워요. 먼저 돼지고기와 몇 가지 ⓐ 채소를 준비하세요. 그 채소들을 잘게 다지세요. 그리고 나서 모든 것을 소금과 후추와 함께 ⓑ 섞으세요. 소 한 숟가락을 떠서 그것을 만두피에 ⓒ 감싸세요. 그리고 나서 만두를 삶거나 ⓓ 튀기세요.

끊어서 읽기

몇몇 나라에서는, / 사람들이 만두를 만든다 / 새해 첫날을 위해. 당신은
[1]In some countries, / people make dumplings / for New Year's Day. [2]You can

쉽게 그것을 만들 수 있다. 이것이 조리법이다.
easily make them. [3]Here is the recipe.

준비하라 / 돼지고기와 몇 가지 채소를 / (만두)소를 (만들기) 위해.
[4]Prepare / pork and some vegetables / for the filling.

잘게 다져라 / 그 채소들을. 당신은 사용할 수 있다 / 파, 배추, 또는 김치를.
[5]Chop up / the vegetables. [6]You can use / green onions, Chinese cabbage, or kimchi.

넣어라 / 채소와 돼지고기를 / 그릇 안에.
[7]Put / the vegetables and pork / in a bowl.

더하라 / 조금의 소금과 후추를 // 그리고 모든 것을 섞어라 / 잘.
[8]Add / some salt and pepper // and mix everything / well.

떠라 / (만두)소 한 숟가락을. 그것을 감싸라 / 만두피에. 이것을 하라
[9]Take / a spoonful of the filling. [10]Wrap it / in a dumpling wrapper. [11]Do this /

여러 번.
many times.

만두를 조리하라.　　　　당신은 (그것들을) 삶을 수 있다 / 또는 그것들을 튀길 수 있다.
¹²Cook the dumplings. ¹³You can boil / or fry them.

그것을 시도해 보는 것은 어떠한가 /　　　설날에　　　/ 당신의 가족과 함께?　당신은 더 재미있게
¹⁴How about trying it / on New Year's Day / with your family? ¹⁵You'll have

보낼 것이다 /　　　새해의 첫날에.
more fun / on the first day of the year.

ᯓ 우리말 해석

맛있는 만두
¹몇몇 나라에서는 새해 첫날을 위해 만두를 만듭니다. ²여러분들은 쉽게 만두를 만들 수 있어요. ³이것이 조리법입니다.
⁴만두소를 만들기 위해 돼지고기와 몇 가지 채소를 준비합니다.
⁵채소를 잘게 다집니다. ⁶파, 배추 또는 김치를 사용할 수 있어요.
⁷그릇에 채소와 돼지고기를 넣습니다.
⁸소금과 후추를 조금 더하고 모든 것을 잘 섞습니다.
⁹소를 한 숟가락 가득 뜹니다. ¹⁰만두피에 그것을 감쌉니다. ¹¹이것을 여러 번 하세요.
¹²만두를 조리합니다. ¹³만두를 삶거나 튀길 수 있습니다.
¹⁴여러분의 가족과 함께 설날에 그것을(만두 만들기를) 시도해 보는 건 어떠세요? ¹⁵새해 첫날에 더 재미있게 보낼 거예요.

ᯓ 주요 문장 분석하기

⁶You **can use** green onions, Chinese cabbage, or kimchi.
　주어　동사　　　　　　　　목적어
→ 「can+동사원형」은 '~할 수 있다'라는 의미이다.

⁸Add **some** *salt* and *pepper* and *mix* everything **well**.
　동사1　　목적어1　　　　　동사2　목적어2
→ some은 '몇몇의, 조금의'라는 뜻으로, 셀 수 없는 명사와 셀 수 있는 명사의 복수형 앞에 모두 쓸 수 있다. salt(소금)와 pepper(후추)는 모두 알갱이가 작아서 셀 수 없는 명사에 속한다.
→ 부사 well(잘)은 동사 mix를 꾸며준다.

¹³You **can boil** *or* **(can) fry** them.
→ or 뒤에서 반복되는 조동사 can이 생략되었다.

¹⁴**How about** try**ing** it on New Year's Day with your family?
→ 「How about+동사원형+-ing?」의 형태는 '~하는 게 어때?'라는 의미로, 상대방에게 제안이나 권유를 할 때 사용한다.

p. 77 **Check Up**	1 ①	2 (a) ○ (b) ✕	3 ③	4 ⓐ: ugly ⓑ: everyone
p. 78 **Build Up**	1 (A), (D)	2 (B), (C)		
p. 78 **Sum Up**	4 → 1 → 2 → 3			
p. 79 **Look Up**	A 1 give	2 worried	3 finish	
	B 1 easy - 쉬운	2 soup - 국, 수프		
	3 everyone - 모든 사람	4 later - 나중에		
	C 1 worried	2 worry	3 looks like	

Check Up

1 글쓴이 '내'가 할머니와 함께 만두를 만들어 만둣국을 먹은 이야기이므로 정답은 ①이다.

2 (a) 할머니가 만두피를 건네주셨고 '나'는 예쁜 만두를 만들려고 노력했다고(When she finished it, she gave me some wrappers. I tried to make good dumplings.) 했으므로 글의 내용과 맞다.

(b) '내'가 처음에 만든 만두는 이상해 보였다고(My dumplings looked funny.) 했으므로 글의 내용과 틀리다.

3 '나'는 자신이 만든 만두가 못생겨서 아무도 먹지 않을 것이라고 말하면서(~, nobody will eat my dumplings. They are ugly.) 걱정했다.

4
나의 만두는 이상하고 ⓐ 못생겨 보였지만, ⓑ 모두가 그것을 좋아했다.

Build Up

| ❶ '나'는 | — | (A) 이상한 만두를 만들었다. | (D) 이상한 만두에 대해 걱정했다. |
| ❷ 할머니께서는 | — | (B) (만두)소를 만드셨다. | (C) 만둣국을 만드셨다. |

Sum Up

❹ 할머니께서는 내게 만두피 몇 개를 주셨다. 우리는 만두를 만들기 시작했다. → ❶ 내 만두가 이상해 보여서, 나는 걱정되었다. →

❷ 나는 계속 노력했다. 내 만두는 할머니의 만두처럼 보이기 시작했다. → ❸ 우리가 만두 빚기를 끝냈을 때, 할머니께서는 만둣국을 만드셨다. 모두가 그것을 즐겼다.

어제, / 할머니는 만두를 만들고 있었다. 나는 그녀를 돕고 싶었다. 그러나 그녀는
[1]Yesterday, / Grandma was making dumplings. [2]I wanted to help her. [3]But she

말했다. // "나는 지금 소를 만들고 있었다. 나를 도와줄 수 있니 / 나중에?" 그녀가
said, // "I'm making the filling now. [4]Can you help me / later?" [5]When she

그것을 끝냈을 때, // 그녀는 나에게 주었다 / 만두피 몇 개. 나는 만들려고 노력했다 / 좋은 만두를.
finished it, // she gave me / some wrappers. [6]I tried to make / good dumplings.

하지만 그것은 쉽지 않았다. 내 만두는 이상해 보였다. 나는 걱정됐다. "할머니, /
[7]But it wasn't easy. [8]My dumplings looked funny. [9]I was worried. [10]"Grandma, /

아무도 먹지 않을 거예요 / 내 만두를. 그것들은 못생겼어요." 그녀는 말했다. // "걱정하지 마라.
nobody will eat / my dumplings. [11]They are ugly." [12]She said, // "Don't worry.

계속 해 보렴." 얼마 후, / 내 만두는 시작했다 / 할머니 것처럼 보이기!
[13]Keep trying." [14]After some time, / my dumplings started / to look like Grandma's!

우리가 만두 빚는 것을 끝냈을 때, // 할머니는 만들었다 / 만둣국을.
[15]When we finished wrapping, // Grandma made / dumpling soup.

모든 사람들이 즐겼다 / 그 만둣국을. 그들은 좋아했다 / 내 이상한 만두도.
[16]Everyone enjoyed / the dumpling soup. [17]They liked / my funny dumplings, too.

🌿 우리말 해석

이상한 만두
[1]어제 할머니께서는 만두를 만들고 계셨습니다. [2]나는 할머니를 돕고 싶었어요. [3]하지만 할머니께서는 "나는 지금 (만두)소를 만들고 있단다. [4]나중에 나를 도와주겠니?"라고 말씀하셨습니다. [5]할머니께서 그 일을 끝내셨을 때, 나에게 만두피 몇 개를 주셨습니다. [6]나는 예쁜 만두를 만들기 위해 노력했습니다. [7]하지만 쉽지 않았어요.
[8]내 만두는 이상해 보였습니다. [9]나는 걱정이 됐어요. [10]"할머니, 아무도 제 만두를 먹지 않을 거예요. [11]그것들은 못생겼어요." [12]할머니께서는 "걱정하지 말거라. [13]계속 해 보렴."이라고 말씀하셨습니다. [14]얼마 후에, 내 만두가 할머니의 만두처럼 보이기 시작했어요!
[15]우리가 만두 빚는 것을 끝냈을 때, 할머니께서는 만둣국을 만드셨습니다. [16]모두가 만둣국을 맛있게 먹었어요. [17]그들은 내 이상한 만두도 좋아했답니다.

🌿 주요 문장 분석하기

[5]**When** she finished it, she **gave** me some wrappers.
→ 접속사 When은 '~할 때'를 의미하며, 두 문장을 연결한다.
→ 「give[gave] A B」는 'A에게 B를 주다[주었다]'라는 의미이다. A 자리에는 보통 '사람'이, B 자리에는 보통 '사물'이 온다.

¹⁰Grandma, **nobody** *will* eat my dumplings.
　　　　　　주어　　　　동사　　　　목적어

→ 문장의 주어는 nobody이며, nobody는 부정의 의미를 가지고 있어 '아무도 ~않다'로 해석한다.

→ will은 '~할 것이다'라는 의미로 미래를 나타내는 표현이다. 뒤에 항상 동사원형(eat)이 온다.

04 A Bowl of Dumpling Soup pp.80 ~ 83

p. 81 Check Up	1 ②	2 ②	3 ③	4 ②	5 ⓐ: sick ⓑ: until

p. 82 Build Up	1 (C)	2 (D)	3 (A)	4 (B) / 4 → 3 → 1 → 2

p. 82 Sum Up	ⓐ started	ⓑ help	ⓒ medicine	ⓓ bowl	ⓔ until

p. 83 Look Up
A 1 hungry　　2 pot　　3 meat
B 1 together - 함께　　2 give out - ~을 나눠주다
　3 finally - 마지막으로　　4 feel better - (기분·몸이) 나아지다
C 1 know　　2 soon　　3 until

Check Up

1 중국 설날에 가족들이 모여 만두를 만들어 먹는 전통의 역사를 설명하는 글이므로 정답은 ②이다.

2 의사는 고기 수프와 약을 끓여서 배고프고 아픈 사람들에게 주었으며, 그들 모두는 그것을 먹고(Everyone had a bowl of dumpling soup.) 나아졌다고 했으므로 정답은 ②이다.

3 의사가 만둣국을 만들기 위해 고깃국과 약을 끓여, 그 국에 고기로 만든 만두를 삶았다는(First, he boiled meat soup and medicine ~ boiled the dumplings in the soup.) 내용에서 만둣국을 만든 방법과 재료를 알 수 있다. 하지만 의사가 만둣국을 만든 장소에 대한 내용은 글에 없다.

4 빈칸 뒤에서는 의사가 배고프고 아픈 사람들을 어떻게 도왔는지를 설명하는 내용이 등장하므로, 빈칸에는 '돕다'의 의미를 가진 help가 가장 알맞다.
　① 알다　② 돕다　③ 함께 하다

5　한 중국 의사는 배고프고 ⓐ 아픈 사람들을 위해 만둣국을 만들었다. 그는 중국 설 ⓑ 전날까지 국을 나눠 주었다.

Build Up

의사가 아픈 사람들을 위해 만둣국을 만드는 과정을 정리한 내용이다.

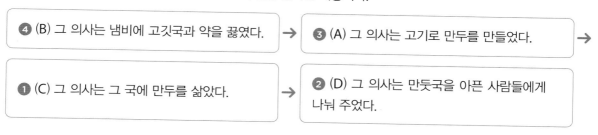

❹ (B) 그 의사는 냄비에 고깃국과 약을 끓였다. → ❸ (A) 그 의사는 고기로 만두를 만들었다. →

❶ (C) 그 의사는 그 국에 만두를 삶았다. → ❷ (D) 그 의사는 만둣국을 아픈 사람들에게 나눠 주었다.

Sum Up

중국의 설마다, 가족들은 함께 만두를 만든다. 그 전통은 오래 전 한 의사로부터 **a** 시작되었다. 그는 배고프고 아픈 사람들을 **b** 돕고 싶었다. 그래서 그는 고기와 **c** 약으로 만둣국을 만들었다. 모든 사람은 국 한 **d** 그릇을 먹었다. 그들은 곧 나아졌다. 그 의사는 중국의 **e** 설 전날까지 그 국을 나눠 주었다.

끊어서 읽기

중국의 설마다. / 가족들은 만두를 만든다 / 함께. 하지만
¹Every Chinese New Year, / families make dumplings / together. ²But

어떤 사람들은 알지 못한다 / 역사에 대해 / 이 전통의. 그것은 한 의사로부터
some people don't know / about the history / of this tradition. ³It started

시작했다 / 동한시대에.
with a doctor / in the Han Dynasty.

어느 날, / 그 의사는 발견했다 / 몇 명의 배고프고 아픈 사람들을. 그는 그들을 돕고 싶었다.
⁴One day, / the doctor found / some hungry and sick people. ⁵He wanted to help

먼저, / 그는 끓였다 / 고깃국과 약을 / 솥에. 그러고 나서 / 그는 만두를
them. ⁶First, / he boiled / meat soup and medicine / in a pot. ⁷Then / he made

만들었다 / 그 고기로. 마지막으로, / 그는 만두를 삶았다 / 그 국에.
dumplings / with the meat. ⁸Finally, / he boiled the dumplings / in the soup.

모두가 먹었다 / 만둣국 한 그릇을. 그들은 곧 나아졌다. 그 의사는
⁹Everyone had / a bowl of dumpling soup. ¹⁰They soon felt better. ¹¹The doctor

나눠 주었다 / 만둣국을 / 중국 설 전날까지.
gave out / dumpling soup / until Chinese New Year's Eve.

우리말 해석

만둣국 한 그릇
¹중국의 설마다, 가족들은 함께 만두를 만듭니다. ²하지만 몇몇 사람들은 이 전통의 역사에 대해 알지 못합니다. ³그것은 동한시대의 한 의사로부터 시작되었습니다.
⁴어느 날, 그 의사는 몇 명의 배고프고 아픈 사람들을 발견했습니다. ⁵그는 그들을 돕고 싶었습니다. ⁶먼저, 그는 솥에 고깃국과 약을 끓였습니다. ⁷그러고 나서 그는 그 고기로 만두를 만들었습니다. ⁸마지막으로, 그는 그 국에 만두를 삶았습니다. ⁹모두가 만둣국 한 그릇을 먹었습니다. ¹⁰그들은 곧 나아졌습니다. ¹¹그 의사는 중국 설 전날까지 만둣국을 나눠 주었습니다.

²But some people don't know about **_the history_** [of this tradition].

→ of this tradition은 the history를 뒤에서 꾸며준다.

⁶First, he boiled meat soup **and** medicine in a pot.

주어   동사   목적어1   목적어2

→ boiled의 목적어인 meat soup와 medicine이 and로 연결되어 있다.

CHAPTER 5

Mother Nature

01 Fire: Hot Volcano

| p. 87 Check Up | 1 ② | 2 (a) ○ (b) ✕ | 3 ③ | 4 ③ | 5 ⓐ: angry ⓑ: volcano |

| p. 88 Build Up | 1 (B) | 2 (C) | 3 (A) |

| p. 88 Sum Up | ⓐ wished for | ⓑ child | ⓒ promise | ⓓ blew up |

p. 89 Look Up	A	1 last	2 promise	3 take
	B	1 wish for - ~을 바라다	2 keep - 계속 가지고 있다	
		3 have - (아기를) 낳다	4 villager - 마을 사람	
	C	1 take	2 promise	3 voice

Check Up

1 약속을 어긴 공주 부부 때문에 신들이 화가 나서 화산이 폭발했고, 그 후로 사람들이 신들을 기쁘게 하기 위한 의식을 행했다는 이야기이므로 정답은 ②이다.

2 (a) 아이를 갖고 싶었던 공주 부부는 Bromo 산의 신들에게 부탁했다고(They asked the gods from Mount Bromo, a volcano.) 했으므로, 글의 내용과 맞다.
(b) 공주 부부는 막내 아이를 계속 데리고 있었다고(~, the couple kept the child.) 했으므로, 글의 내용과 틀리다.

3 산에서 아이의 목소리가 들려서 신들을 기쁘게 하기 위해 의식을 거행한 것은 마을 사람들이므로 가리키는 대상이 다른 것은 ③이다. ⓐ와 ⓑ는 '공주 부부'를 가리킨다.

4 마을 사람들은 신들을 (A) 기쁘게 하고 싶어서 의식을 거행하였다.

① 부탁하다 ② 데려가다 ③ 기쁘게 하다

5 신들이 ⓐ 화가 나서, ⓑ 화산이 폭발했다.

Build Up

원인		결과
❶ 그 부부는 막내 아이를 계속 데리고 있었다.	—	(B) 화산이 폭발했다.
❷ 신들은 자식들을 주기로 결정했다.	—	(C) 그 부부는 25명의 자식을 낳았다.

❸ 마을 사람들은 산에서 아이의 목소리를 들을 수 있었다. — (A) 그들은 해마다 의식을 거행했다.

Sum Up

한 공주와 그녀의 남편은 자식들을 **a** 바랐다. Bromo 산의 신들은 그 부부에게 많은 자식들을 주었다. 하지만 그들은 그 부부로부터 막내 **b** 아이를 원했다. 그 부부는 **c** 약속했다. 하지만 그들은 신들에게 아이를 주지 않았다. 신들은 화가 났고 Bromo 산이 **d** 폭발했다. 그들은 그 아이를 산 속으로 데려갔다.

🌿 끊어서 읽기

한 공주와 그녀의 남편은 / 자식들을 바랐다. 그들은 요청했다 / 화산인 Bromo 산의
¹A princess and her husband / wished for children. ²They asked / the gods from

신들에게. 신들은 결정했다 / 자식들을 주기로. 그러나 그들은 원했다
Mount Bromo, a volcano. ³The gods decided / to give children. ⁴But they wanted

/ 막내 아이를 데리고 가기를. 부부는 약속했다. // 그리고 그들은 25명의 자식을 낳았다.
/ to take the last child. ⁵The couple made the promise, // and they had 25 children.

막내 아이가 태어났을 때, // 부부는 그 아이를 계속 데리고 있었다. 신들은 화가 났다.
⁶When the last child was born, // the couple kept the child. ⁷The gods were angry.

그래서 화산이 폭발했다. 신들은 그 아이를 데려갔다 / 산 속으로.
⁸So the volcano blew up. ⁹The gods took the child / into the mountain.

그 후로, / 마을 사람들은 들을 수 있었다 / 아이의 목소리를 / 산으로부터.
¹⁰After that, / villagers could hear / a child's voice / from the mountain.

그들은 원했다 / 신들을 기쁘게 하기를. 그래서 그들은 의식을 거행했다 / 해마다.
¹¹They wanted / to please the gods. ¹²So they held ceremonies / every year.

🌿 우리말 해석

불: 뜨거운 화산
¹한 공주와 그녀의 남편은 자식들을 원했어요. ²그들은 화산인 Bromo 산의 신들에게 요청했지요. ³신들은 아이들을 주기로 결정했어요. ⁴그러나 그들은 막내 아이를 데려가고 싶었어요. ⁵그 부부는 약속했고, 그들은 25명의 자식을 낳았습니다.
⁶막내 아이가 태어났을 때, 부부는 그 아이를 계속 데리고 있었어요. ⁷신들은 화가 났지요. ⁸그래서 화산이 폭발했어요. ⁹신들은 그 아이를 산 속으로 데려갔어요. ¹⁰그 후, 마을 사람들은 산에서 아이의 목소리를 들을 수 있었어요. ¹¹그들은 신들을 기쁘게 하고 싶었어요. ¹²그래서 그들은 해마다 의식을 거행했답니다.

주요 문장 분석하기

²They asked *the gods* [**from** Mount Bromo, a volcano].
　주어　　동사　　목적어

→ 여기서 전치사 from은 '～에서 온'이라는 의미로 출신을 나타낸다.

→ from Mount Bromo, a volcano는 앞의 the gods를 꾸며준다.

³The gods **decided to** give children.

→ 「decide[decided] to+동사원형」은 '～하기로 결정하다[결정했다]'라는 의미이다.

⁶**When** the last child was born, the couple kept the child.

→ When은 '～할 때'의 의미이며, 문장과 문장을 연결하는 접속사이다.

02	**Wind: Moving Air**			pp.90 ~ 93

p. 91 **Check Up**	1 ③	2 (a) ✕ (b) ◯	3 ②	4 ①	5 ⓐ: **moving** ⓑ: **happen**

p. 92 **Build Up**	1 **(C)**	2 **(B)**	3 **(A)**

p. 92 **Sum Up**	ⓐ **heat**	ⓑ **moves**	ⓒ **rains**	ⓓ **disappears**

p. 93 **Look Up**	A 1 **smoke**	2 **dirty**	3 **move**
	B 1 **heat** - 열	2 **dry** - 건조한	
	3 **factory** - 공장	4 **terrible** - 끔찍한	
	C 1 **moved**	2 **rain**	3 **place**

Check Up

1 바람은 물체를 움직이는 것 이상의 역할을 한다면서, 바람이 없으면 일어날 수 있는 일에 대해 설명하고 있으므로 정답은 ③이다.

2 (a) 바람이 없으면, 비가 물 근처에서만 내릴 것이라고(Second, it would rain only near water.) 했으므로, 글의 내용과 틀리다.
   (b) 공장에서 나오는 연기가 사라지지 않아 공기는 더럽고 위험해질 것이라고(Air would be dirty and dangerous.) 했으므로, 글의 내용과 맞다.

3 이 글은 바람이 불지 않는다는 상황을 가정해서 바람이 하는 일을 설명하는 글이다. 바람은 열기를 이동시키고, 공장의 연기를 사라지게 한다고 했다. 또한, 글에 등장한 바람의 역할 중에서 비구름을 이동시켜 씨들이 뿌리를 내리고 자랄 수 있게 한다고 했지만, 꽃씨를 날려서 번식을 돕는다는 내용은 없으므로 정답은 ②이다.

4 빈칸 (A) 뒤에서 씨앗이 뿌리를 내리지 않거나 자라지 않을 것이라고 말하는 것으로 보아, 빈칸에는 '죽다'의 의미인 die가 가장 알맞다.

① 죽다 ② 움직이다 ③ 비가 오다

5

바람은 물체를 ⓐ 움직이는 것보다 더 많은 것을 한다. 그것이 없이 끔찍한 일들이 ⓑ 일어날 것이다.

Build Up

원인		결과
❶ 열기는 전 세계로 이동하지 않을 것이다.	—	(C) 어떤 곳들은 매우 더워질 것이다.
❷ 대부분의 장소들은 건조해질 것이다.	—	(B) 씨앗들은 뿌리를 내리지 않거나 자라지 않을 것이다.
❸ 풍력 에너지가 없을 것이다.	—	(A) 어떤 곳들은 전기가 없을 것이다.

Sum Up

바람은 많은 일을 한다. 바람 때문에, ⓐ 열기는 전 세계로 이동한다. 바람은 또한 비구름을 ⓑ 움직인다. 그래서 ⓒ 비가 오고, 씨앗은 뿌리를 내려 자란다. 또한 바람 때문에, 공장에서 나온 연기는 ⓓ 사라진다. 마지막으로, 풍력 에너지로부터 우리는 전기를 얻는다.

🌾 끊어서 읽기

바람은 물체를 움직인다 /　　　연과 구름 같은.　　　그러나 그것은 더 많은 것을 한다 / 물체를 움직이는
¹Wind moves things / like kites and clouds. ²But it does more / than moving

것보다.　　　바람이 없으면, /　　끔찍한 일들이 일어날 것이다.
things. ³Without wind, / terrible things would happen.

첫째, /　　열기는 이동하지 않을 것이다 /　　전 세계로.　　　그 결과, /　어떤 곳들은
⁴First, / the heat would not move / around the world. ⁵As a result, / some places

매우 더워질 것이다.　　　다른 곳들은 매우 추울 것이다.　　　둘째, /　비가 올 것이다 /
would get very hot. ⁶Other places would be very cold. ⁷Second, / it would rain /

물 근처에서만.　　　비구름은 움직이지 않을 것이다.　　　많은 곳들이 건조할 것이다.
only near water. ⁸Rain clouds would not move. ⁹Many places would be dry.

셋째, /　대부분의 장소들이 건조할 것이기 때문에 /　비가 없이, // 식물들은 죽을 것이다.
¹⁰Third, / because most places would be dry / without rain, // plants would die.

씨앗들은 뿌리를 내리지 않을 것이다 / 또는 자라지 (않을 것이다). 넷째, /　공장에서 나오는 연기는 /
¹¹The seeds would not take root / or grow. ¹²Fourth, / smoke from factories /

사라지지 않을 것이다.　　　공기는 더럽고 위험해질 것이다.
would not disappear. ¹³Air would be dirty and dangerous.

마지막으로, /　　풍력 에너지가 없을 것이다.　　　어떤 곳들은 전기가 없을 것이다.
¹⁴Lastly, / there would be no wind energy. ¹⁵Some places would not have power.

🌿 우리말 해석

바람: 움직이는 공기

¹바람은 연과 구름 같은 것들을 움직입니다. ²그러나 그것은 물체를 움직이는 것보다 더 많은 일을 하지요. ³바람이 없으면, 끔찍한 일들이 일어날 거예요.

⁴첫째, 열기가 전 세계로 이동하지 않을 거예요. ⁵그 결과로, 어떤 곳들은 매우 더워질 것입니다. ⁶다른 곳들은 매우 추울 것이고요. ⁷둘째, 물 근처에서만 비가 올 거예요. ⁸비구름은 움직이지 않을 것입니다. ⁹많은 곳들이 건조해질 거예요. ¹⁰셋째, 비가 없이 대부분의 장소들이 건조해질 것이기 때문에, 식물들은 죽을 거예요. ¹¹씨앗들은 뿌리를 내리지 않거나 자라지 않을 거예요. ¹²넷째, 공장에서 나오는 연기는 사라지지 않을 거예요. ¹³공기는 더럽고 위험해질 것입니다. ¹⁴마지막으로, 풍력 에너지가 없을 거예요. ¹⁵어떤 곳들은 전기가 없을 것입니다.

🌿 주요 문장 분석하기

¹Wind moves things **like** kites and clouds.
→ like는 여기서 '(예를 들어) ~와 같은'이라는 뜻의 전치사로 쓰였다. 이때 like 뒤에는 앞에 있는 명사 things에 예시들이 나온다.

¹²Fourth, *smoke* [from factories] **would** not disappear.
　　　　　　　　주어　　　　　　　　동사
→ from factories가 smoke를 뒤에서 꾸며준다.
→ would는 '~할[일] 것이다'라는 뜻으로, 어떤 일의 결과를 가정할 때 사용한다.

03 Earth: Shaking Ground

pp.94 ~ 97

p. 95 **Check Up**	1 ②	2 (a) ○ (b) ✕	3 ①	4 ⓐ: earthquake ⓑ: safe

p. 96 **Build Up** ⓐ head ⓑ arms ⓒ under ⓓ table / 2 → 1 → 3

p. 96 **Sum Up** ⓐ fall ⓑ find ⓒ Follow ⓓ stay ⓔ hurt

p. 97 **Look Up**
A 1 stay 2 hold 3 practice
B 1 suddenly - 갑자기 2 follow - (충고, 지시 등을) 따르다
   3 learn - 배우다 4 actually - 실제로
C 1 fall 2 practice 3 stay

Check Up

1 지진 발생 시에 어떻게 해야 하는지 행동 요령에 대해 설명하는 글이므로 정답은 ②이다.

2 (a) 지진은 갑자기 일어날 수 있다고(An earthquake can happen suddenly.) 했으므로 글의 내용과 맞다.

(b) 부엌은 위험한 곳이라고(But the kitchen is a dangerous place.) 했으므로 글의 내용과 틀리다.

3 지진이 났을 때는 깨진 유리에 다칠 수 있어서 창문에서 떨어지라고(But stay away from windows.) 했으므로 정답은 ①이다.

4 ⓐ 지진이 일어나면, ⓑ 안전한 장소를 찾아라.

Build Up

지진이 났을 때 실내에 있다면 따라야 하는 행동 요령의 순서를 정리해 본다.

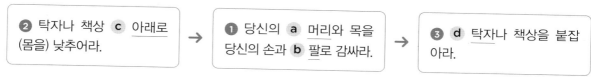

❷ 탁자나 책상 ⓒ 아래로 (몸을) 낮추어라. → ❶ 당신의 ⓐ 머리와 목을 당신의 손과 ⓑ 팔로 감싸라. → ❸ ⓓ 탁자나 책상을 붙잡아라.

Sum Up

지진이 발생하는 동안, 많은 물건들이 당신에게 ⓐ 떨어질 수 있다. 당신이 건물 안에 있다면, 안전한 장소를 ⓑ 찾아라. 부엌에는 머무르지 마라. 이 단계들을 ⓒ 따르라: 낮추고, 감싸고 그리고 붙잡아라. 또한, 창문에서 떨어져 ⓓ 있어라. 깨진 유리가 당신을 ⓔ 다치게 할 수 있다.

지진은 일어날 수 있다 / 갑자기. 지진이 시작되면 // 많은
[1]An earthquake can happen / suddenly. [2]When an earthquake starts, // many

물건들은 떨어질 수 있다 / 당신에게. 안전한 장소를 찾아라 // 당신이 건물 안에 있을 때.
things can fall / on you. [3]Find a safe place // when you are inside a building.

그러나 부엌은 위험한 장소이다. 그곳에 머무르지 마라.
[4]But the kitchen is a dangerous place. [5]Don't stay there.

이 단계들을 따르라: 낮추고, 감싸고, 그리고 잡으라. 먼저, / (몸을) 낮춰라 / 탁자나 책상 아래로.
[6]Follow these steps: Drop, Cover, and Hold. [7]First, / drop / under a table or

다음으로, / 당신의 머리와 목을 감싸라 / 당신의 손과 팔로. 그러나
a desk. [8]Next, / cover your head and neck / with your hands and arms. [9]But

떨어져 있어라 / 창문으로부터. 깨진 유리가 당신을 다치게 할 수 있다. 마지막으로, / 붙잡아라 /
stay away / from windows. [10]Broken glass can hurt you. [11]Last, / hold on to /

탁자나 책상을. 배우고 연습하라 / 그 단계들을. 그것들은 실제로 구할 수 있다 /
the table or the desk. [12]Learn and practice / those steps. [13]They can actually save /

당신의 생명을!
your life!

대지: 흔들리는 땅

[1]지진은 갑자기 일어날 수 있습니다. [2]지진이 시작되면, 많은 물건들이 당신에게 떨어질 수 있습니다. [3]건물 안에 있을 때는 안전한 장소를 찾으세요. [4]그러나 부엌은 위험한 장소입니다. [5]그곳에 머무르지 마세요.

[6]이 단계들을 따르세요. 낮추고, 감싸고, 붙잡으세요. [7]먼저, 탁자나 책상 아래로 몸을 낮추세요. [8]다음으로, 머리와 목을 손과 팔로 감싸세요. [9]그러나 창문에서 떨어져 있으세요. [10]깨진 유리가 당신을 다치게 할 수 있습니다. [11]마지막으로, 탁자나 책상을 붙잡으세요.

[12]그 단계들을 배우고 연습하세요. [13]그것들은 실제로 당신의 생명을 구할 수 있습니다!

[2]**When** an earthquake starts, many things can fall on you.
　　　　　　주어'　　　동사'　　　　주어　　　동사

→ When은 '~할 때'라는 의미로 두 문장을 연결하는 접속사이다.

[12]Learn **and** practice ***those steps***.
　　동사1　　　동사2　　　목적어

→ 두 개의 동사 learn과 practice가 and로 연결된 형태의 명령문이다.

→ those steps는 두 개의 동사에 공통으로 쓰인 목적어이다.

p. 99 **Check Up**	1 ②	2 (a) ○ (b) ○	3 ①	4 ②	5 ⓐ: **names** ⓑ: **close**
p. 100 **Build Up**	ⓐ **names**	ⓑ **close**	ⓒ **deep**	ⓓ **near**	
p. 100 **Sum Up**	ⓐ **special**	ⓑ **hottest**	ⓒ **reasons**	ⓓ **water**	ⓔ **river**

p. 101 **Look Up**
A 1 **heat** 2 **jungle** 3 **part**
B 1 **close** - 가까운 2 **special** - 특별한
   3 **different** - 여러 가지의 4 **boil** - 끓다
C 1 **deep** 2 **possible** 3 **jungle**

Check Up

1 페루의 정글에 있는 뜨거운 강에 대해 설명하는 글이므로, 정답은 ②이다.

2 (a) 강의 가장 뜨거운 부분은 섭씨 100도에 가깝다고(The hottest part of the river is close to 100℃.) 했으므로, 글의 내용과 맞다.
(b) La Bomba는 강의 여러 이름 중 하나이므로(~ it has different names: *the Boiling River*, *La Bomba*, ~.) 글의 내용과 맞다.

3 실제로 강을 뜨겁게 하는 열이 태양에서 오는 것이 아니라고 했으므로(Actually, the heat is not from the sun.) 정답은 ①이다.

4 빈칸 앞에서는 강이 뜨거운 첫 번째 이유를 설명하고 있다. 빈칸을 포함한 문장에서는 두 번째 이유가 등장해야 하며, 그 이유로 강 근처에 있는 석유나 가스 때문에, 강이 '뜨겁거나 끓고 있다'는 내용이 되어야 한다. 따라서 빈칸에 들어갈 말로 가장 어색한 것은 ②이다.
① 뜨거운 ② 가까운 ③ 끓고 있는

5
> 페루에 있는 한 특별한 강은 그것의 가장 뜨거운 부분이 섭씨 100도에 ⓑ 가깝기 때문에 다른 ⓐ 이름들을 가지고 있다.

Build Up

페루의 정글에 있는 뜨거운 강에 대한 주요 정보를 정리한 표이다.

그 강은 어디에 있나요?	그것은 페루의 정글 안에 있다.
그 강의 ⓐ 이름들은 무엇인가요?	그것들은 the Boiling River, La Bomba, Shanay timpishka이다.
그 강은 얼마나 뜨거운가요?	거의 섭씨 100도에 ⓑ 가깝다.
그 강은 왜 뜨거운가요?	• 땅 속 ⓒ 깊이 뜨거운 물이 있다. • 석유와 가스가 강 ⓓ 근처에 있다.

Sum Up

페루의 어떤 강에는 뭔가 **a** 특별한 것이 있다. 그것의 **b** 가장 뜨거운 부분은 섭씨 100도에 가깝다. 그것에 대해 두 가지 가능한 **c** 이유가 있다. 하나는 땅 속 깊이 있는 뜨거운 **d** 물 때문이다. 다른 하나는 **e** 강 근처에 있는 석유와 가스 때문이다.

끊어서 읽기

페루의 정글 안에, / 특별한 강이 있다. 가장 뜨거운 부분은 / 강의 /
¹In a jungle in Peru, / there is a special river. ²The hottest part / of the river / is

섭씨 100도에 가깝다. 강이 끓고 있기 때문에, // 그것은 여러 이름들을 가지고 있다: /
close to 100℃. ³Because the river is boiling, // it has different names: /

Boiling River, La Bomba, 그리고 Shanay timpishka.
the Boiling River, La Bomba, and Shanay timpishka.

Shanay timpishka는 의미한다 / '태양의 열로 끓는 것'을. 실제로, /
⁴Shanay timpishka means / "boiling with the heat of the sun." ⁵Actually, /

열은 태양으로부터 오는 것이 아니다. 두 가지 가능한 이유가 있다. 첫째, /
the heat is not from the sun. ⁶There are two possible reasons. ⁷First, / there is

뜨거운 물이 있다 / 땅 속 깊이. 강의 물은 / 그곳에서 나올지도 모른다.
hot water / deep under the earth. ⁸The river's water / may come from there.

둘째, / 강은 뜨거울 수도 있다 / 석유와 가스 때문에 / 그것 근처의.
⁹Second, / the river may be hot / because of the oil and gas / near it.

우리말 해석

물: 신비로운 강

¹페루의 정글 안에, 특별한 강이 있습니다. ²강의 가장 뜨거운 부분은 섭씨 100도에 가깝습니다. ³강이 끓고 있기 때문에, 그 강은 Boiling River, La Bomba, 그리고 Shanay timpishka라는 여러 이름들이 있습니다. ⁴Shanay timpishka는 '태양의 열로 끓는 것'을 의미합니다. ⁵실제로, 열은 태양으로부터 오는 것이 아닙니다. ⁶두 가지 가능한 이유가 있습니다. ⁷첫째, 땅 속 깊이 뜨거운 물이 있습니다. ⁸강의 물은 그곳에서 나올지도 모릅니다. 둘째, 근처의 석유와 가스 때문에 강이 뜨거울 수도 있습니다.

주요 문장 분석하기

¹In a jungle in Peru, **there is** a special river. ⁶**There are** two possible reasons.
→ 「There is[are]+명사」는 '~가 있다'라는 의미이다. 명사가 단수일 때는 is, 복수일 때는 are가 온다.

³Because the river **is boiling**, it has different names.

→ 「is[am, are]+동사원형+-ing」의 형태는 '~하고 있다, ~하고 있는 중이다'라는 의미를 가진 현재진행형이다. 현재진행형은 지금 진행 중인 동작이나 상태에 대해 설명한다.

⁸The river's water **may** *come* from there.

⁹Second, the water **may** *be* hot because of the oil and gas near it.

→ may는 '~일지도 모른다'라는 의미로, 가능성을 나타내는 조동사이다.

→ 조동사 may 뒤에는 동사원형이 오기 때문에, come과 be가 사용되었다.

왓츠
리딩
What's Reading

Words
80 B

• 정답과 해설 •
WORKBOOK

CHAPTER 1

Happiness

01 A Happy Day

p.2

A 1 clean   2 lose
    3 same   4 do
    5 happen   6 water
    7 forget

B 1 nothing – 아무것도 (~아니다)
    2 minute – (시간 단위의) 분
    3 wake up – 일어나다

C 1 O: He, made
    2 O: They, found
    3 O: Bob, went, helped
    4 Help

D 1 Bob did everything the same
    2 Nothing terrible will happen
    3 because he helped a friend
    4 I forgot everything today

02 A Happy Country

p.4

A 1 top   2 money
    3 often   4 ask
    5 half   6 Many

B 1 show – 보여 주다
    2 about – ~에 대하여; 약, 대략
    3 company – 회사

C 1 O: A company, makes

2 O: The report, shows
    3 O: The researchers, ask
    4 O: Finland, shows

D 1 at the top of the list
    2 The country is not the richest
    3 Many of them also do volunteer work
    4 you can't buy happiness with money

03 A Happy Couple

p.6

A 1 meet   2 question
    3 forever   4 enough
    5 rich   6 poor
    7 travel

B 1 look for – ~을 찾다
    2 else – 그 밖에
    3 need – 필요하다

C 1 O: they, looked
    2 O: The family, didn't have
    3 O: you, Are
    4 O: A young couple, wanted

D 1 They looked for the happiest couple
    2 a couple with many children
    3 Why are you happy
    4 What else do you need

04 A Happy Town

p.8

A 1 team   2 beautiful
    3 grow   4 beautifully
    5 town   6 study

B 1 different – 다른

2 nature – 자연

3 peaceful – 평화로운

C 1 O: People, <u>see</u>, <u>feel</u>

2 O: Many trees, <u>create</u>

3 O: birds, <u>sing</u>

4 O: Many kinds of birds, <u>live</u>

D 1 Can people become happy

2 nature becomes more beautiful

3 Towns with many birds, have many trees

4 Their happiness grows bigger

01 Sun, Moon and Ocean

p.10

A 1 Throw 2 decide

3 day 4 jealous

5 call 6 together

7 night

B 1 attack – 공격하다

2 wall – 벽

3 ocean – 바다

C 1 O: They, <u>wanted</u>

2 O: The three friends, <u>were</u>

3 O: the Ocean, <u>made</u>

4 O: They, the Ocean, <u>loved</u>, <u>loved</u>

D 1 were always together

2 The Stars were angry

3 He threw the Moon

4 the Stars always followed the Moon

02 Shooting Stars

p.12

A 1 see 2 sometimes

3 story 4 both

5 look for 6 come true

B 1 earth – 지구

2 scientist – 과학자

3 think – 생각하다

C 1 O: They, <u>looked</u>

2 O: a scientist, <u>wrote</u>

3 O: stars, <u>would fall</u>

4 O: The gods, <u>may hear</u>

D 1 that they were angels

2 They both started to wish upon

3 The gods sometimes opened up the skies

4 Your wish may come true

03 Drawing in the Sky

p.14

A 1 go camping   2 draw

3 finger   4 Look at

5 clear   6 lucky

B 1 anything – 아무것도

2 add – 덧붙여 말하다

3 set up – 설치하다

C 1 O: I, <u>didn't see</u>

2 O: the sky, <u>was</u>

3 O: We, <u>set up</u>, <u>make</u>

4 O: Dad, <u>started</u>

D 1 we look at the stars

2 When we are lucky

3 There were so many stars

4 That one looks like a swan

04 The Sky Has Everything

p.16

A 1 answer   2 home

3 show   4 use

5 plan   6 still

B 1 study – 연구하다

2 calendar – 달력

3 traveler – 여행자

C 1 O: They, <u>plan</u>

2 O: Farmers, <u>used</u>

3 O: Travelers, <u>followed</u>, <u>found</u>

4 O: Babylonians, <u>watched</u>, <u>studied</u>

D 1 They came up with twelve star signs

2 The star signs showed the time of the year

3 People also looked at the stars

4 Some people find their star signs

CHAPTER 3

Environment

01 Kate's Art

p.18

A 1 find 2 bottle
3 art 4 sign
5 Throw away 6 used

B 1 show – 전시회
2 artist – 예술가
3 glue – 풀, 접착제

C 1 O: It, was
2 O: We, can make
3 O: Kate, wanted
4 O: Kate, found

D 1 Her dad took her to an art show
2 There was a sign
3 with pieces of old clothes
4 Kate wanted to make art

02 Wangari's Umbrella

p.20

A 1 return 2 tell
3 plant 4 Each
5 like 6 under

B 1 umbrella – 우산
2 desert – 사막
3 village – 마을

C 1 O: She, told
2 O: She, went, studied

3 O: her home, changed
4 O: The green umbrella in Kenya, came back

D 1 Wangari's home was like a desert
2 Wangari planted trees
3 She gave a small tree
4 The small trees took root, and grew tall

03 Small Change

p.22

A 1 burn 2 save
3 scared 4 Turn off
5 careful 6 warm
7 power

B 1 calm – 침착한, 차분한
2 change – 변화
3 put on – ~을 입다

C 1 O: Everything, became
2 O: my brother, Bobby, was
3 O: our house, is
4 O: the power, went out

D 1 We used too much energy
2 We are not careful
3 when it is cold
4 Everyone can start with little things

04 Safe Water

p.24

A 1 thought 2 think
3 drink 4 share

5 bring   6 clean

B   1 problem – 문제

    2 great – 큰, 엄청난

    3 get – (어떤 상태가) 되다; 얻다

C   1 O: We, <u>don't think</u>

    2 O: Those changes, <u>are</u>

    3 O: Many people, <u>drink</u>

    4 <u>share</u>

D   1 they get sick from dirty water

    2 Try to save water

    3 when you brush your teeth

    4 They can bring great change

01 The Ugly Dumpling

p.26

A   1 leave   2 join

    3 ugly   4 different

    5 friend   6 show up

B   1 look – ~해 보이다

    2 dirty – 더러운, 지저분한

    3 stay – ~인 채로 있다

C   1 O: He, <u>wanted</u>

    2 O: the other buns, <u>didn't like</u>

    3 O: the ugly dumpling, <u>found</u>

    4 O: the ugly dumpling, <u>was</u>

D   1 looked different from others

    2 I will be your friend

    3 They left the kitchen

    4 stayed friends with the mouse

02 Delicious Dumplings

p.28

A   1 bowl   2 vegetable

    3 Boil   4 Add

    5 cook   6 wrap

B   1 some – 몇몇의, 조금의

    2 try – 시도하다

    3 easily – 쉽게

C   1 O: You, <u>can use</u>

    2 O: You, <u>can make</u>

3 Take

4 O: You, <u>can boil</u>, <u>fry</u>

D 1 Prepare pork and some vegetables

2 Put the vegetables and pork

3 and mix everything well

4 You will have more fun

03　Funny Dumplings

p.30

A 1 help　　　　2 worry

3 worried　　　4 easy

5 soup　　　　6 look like

B 1 finish – 끝내다

2 funny – 이상한, 기이한

3 enjoy – 즐기다

C 1 O: I, <u>tried</u>

2 O: it, <u>wasn't</u>

3 O: nobody, <u>will eat</u>

4 O: Everyone, <u>enjoyed</u>

D 1 Grandma was making dumplings

2 Don't worry, Keep trying

3 My dumplings started to look like

4 Everyone liked my funny dumplings

04　A Bowl of Dumpling Soup

p.32

A 1 know　　　　2 sick

3 pot　　　　　4 give out

5 until　　　　6 soon

B 1 together – 함께

2 medicine – 약

3 history – 역사

C 1 O: Everyone, <u>had</u>

2 O: It, <u>started</u>

3 O: he, <u>boiled</u>

4 O: The doctor, <u>gave out</u>

D 1 Some people don't know about the history

2 The doctor found some hungry and sick people

3 he made dumplings with the meat

4 he boiled the dumplings in the soup

CHAPTER 5

Mother Nature

01 Fire: Hot Volcano

p.34

A 1 last   2 take
   3 voice   4 promise
   5 please   6 wish for

B 1 princess – 공주
   2 volcano – 화산
   3 hold – (행사, 의식 등을) 거행하다, 열다

C 1 O: The gods, were
   2 O: They, asked
   3 O: they, held
   4 O: the volcano, blew up

D 1 The couple made the promise
   2 The gods took the child
   3 Villagers could hear a child's voice
   4 The villagers wanted to please the gods

02 Wind: Moving Air

p.36

A 1 dirty   2 terrible
   3 place   4 smoke
   5 move   6 rain

B 1 without – ~이 없으면
   2 seed – 씨앗
   3 disappear – 사라지다

C 1 O: it, does

2 O: Other places, would be
3 O: Some places, would not have
4 O: The seeds, would not take, grow

D 1 Wind moves things
   2 terrible things would happen
   3 the heat would not move
   4 Air would be dirty and dangerous

03 Earth: Shaking Ground

p.38

A 1 follow   2 fall
   3 practice   4 stay
   5 hurt   6 actually

B 1 earth – 대지, 땅
   2 safe – 안전한
   3 cover – 감싸다

C 1 O: An earthquake, can happen
   2 O: the kitchen, is
   3 O: Broken glass, can hurt
   4 drop

D 1 when you are inside a building
   2 Cover your head and neck
   3 But stay away from windows
   4 Learn and practice those steps

04 Water: Mysterious River

p.40

A 1 Heat   2 jungle
   3 deep   4 close
   5 possible   6 part

B 1 oil – 석유, 기름

2 mean – 의미하다

3 reason – 이유

C 1 O: *Shanay timpishka*, <u>means</u>

2 O: The hottest part of the river, <u>is</u>

3 O: the heat, <u>is not</u>

4 O: The river, <u>may be</u>

D 1 there is a special river

2 Because the river is boiling

3 There are two possible reasons

4 The river's water may come from there

왓츠리딩 What's Reading

한눈에 보는 왓츠 Reading 시리즈

70 A|B | **80** A|B

90 A|B | **100** A|B

1 체계적인 학습을 위한 시리즈 및 난이도 구성
2 재미있는 픽션과 유익한 논픽션 50:50 구성
3 이해력과 응용력을 향상시키는 다양한 활동 수록
4 지문마다 제공되는 추가 어휘 학습
5 워크북과 부가자료로 완벽한 복습 가능
6 학습에 편리한 차별된 모바일 음원 재생 서비스
   → 지문, 어휘 MP3 파일 제공

단계	단어 수 (Words)	Lexile 지수
70 A	60 ~ 80	200-400L
70 B	60 ~ 80	
80 A	70 ~ 90	300-500L
80 B	70 ~ 90	
90 A	80 ~ 110	400-600L
90 B	80 ~ 110	
100 A	90 ~ 120	500-700L
100 B	90 ~ 120	

* Lexile(렉사일) 지수는 미국 교육 연구 기관 MetaMetrics에서 개발한 독서능력 평가지수로, 미국에서 가장 공신력 있는 지수로 활용되고 있습니다.

부가자료 다운로드
www.cedubook.com

READING RELAY 한 권으로
영어를 공부하며 국·수·사·과까지 5과목 정복!

리딩릴레이 시리즈

① 각 챕터마다 주요 교과목으로 지문 구성!

우리말 지문으로 배경지식을 읽고, 관련된 영문 지문으로 독해력 키우기

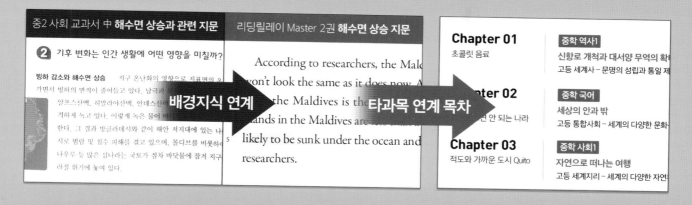

중2 사회 교과서 中 해수면 상승과 관련 지문	리딩릴레이 Master 2권 해수면 상승 지문

배경지식 연계

타과목 연계 목차

Chapter 01	중학 역사1
초콜릿 음료	신항로 개척과 대서양 무역의 확대 고등 세계사 – 문명의 성립과 통일 제
Chapter 02	중학 국어
세상의 안과 밖	세상의 안과 밖 고등 통합사회 – 세계의 다양한 문화
Chapter 03	중학 사회1
적도와 가까운 도시 Quito	자연으로 떠나는 여행 고등 세계지리 – 세계의 다양한 자연

② 학년별로 국/영문의 비중을 다르게!

지시문 & 선택지 기준

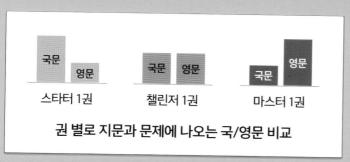

스타터 1권   챌린저 1권   마스터 1권

권 별로 지문과 문제에 나오는 국/영문 비교

③ 교육부 지정 필수 어휘 수록!

교육부 지정 중학 필수 어휘

genius	명 1. 천재 2. 천부의 재능
slip	동 1. 미끄러지다 2. 빠져나가다
compose	동 1. 구성하다, ~의 일부를 이루다 2. 3. 작곡하다
	형 (현재) 살아 있는

쎄듀 초등 커리큘럼

	예비초	초1	초2	초3	초4	초5	초6
구문		신간 천일문 365 일력 |초1-3| 교육부 지정 초등 필수 영어 문장			초등코치 천일문 SENTENCE 1001개 통문장 암기로 완성하는 초등 영어의 기초		
						초등코치 천일문 GRAMMAR 1001개 예문으로 배우는 초등 영문법		
문법			신간 왓츠 Grammar Start 시리즈 초등 기초 영문법 입문			신간 왓츠 Grammar Plus 시리즈 초등 필수 영문법 마무리		
독해				신간 왓츠 리딩 70 / 80 / 90 / 100 A / B 쉽고 재미있게 완성되는 영어 독해력			
어휘				초등코치 천일문 VOCA&STORY 1001개의 초등 필수 어휘와 짧은 스토리			
		패턴으로 말하는 초등 필수 영단어 1 / 2 문장 패턴으로 완성하는 초등 필수 영단어					
ELT	Oh! My PHONICS 1 / 2 / 3 / 4 유·초등학생을 위한 첫 영어 파닉스						
	Oh! My SPEAKING 1 / 2 / 3 / 4 / 5 / 6 핵심 문장 패턴으로 더욱 쉬운 영어 말하기						
	Oh! My GRAMMAR 1 / 2 / 3 쓰기로 완성하는 첫 초등 영문법						

쎄듀 중등 커리큘럼

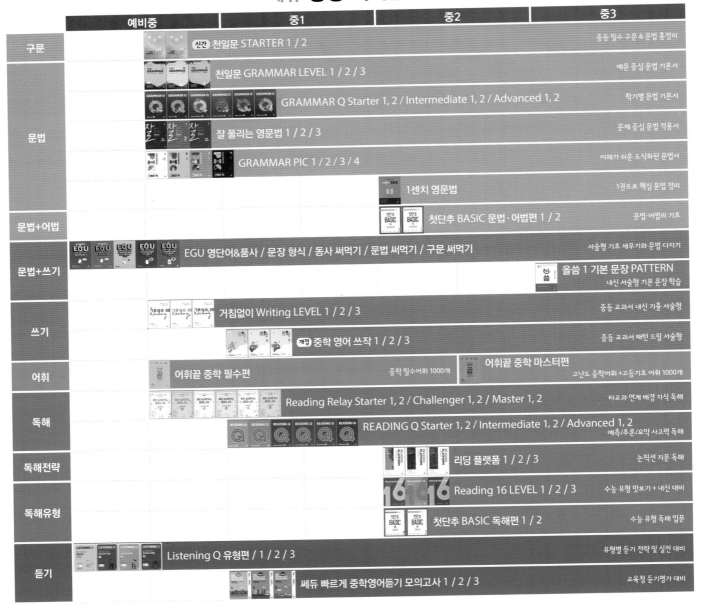

	예비중	중1	중2	중3
구문		신간 천일문 STARTER 1 / 2		중등 필수 구문 & 문법 총정리
문법		천일문 GRAMMAR LEVEL 1 / 2 / 3		예문 중심 문법 기본서
		GRAMMAR Q Starter 1, 2 / Intermediate 1, 2 / Advanced 1, 2		학기별 문법 기본서
		잘 풀리는 영문법 1 / 2 / 3		문제 중심 문법 적용서
		GRAMMAR PIC 1 / 2 / 3 / 4		이해가 쉬운 도식화된 문법서
			1센치 영문법	1권으로 핵심 문법 정리
문법+어법			첫단추 BASIC 문법·어법편 1 / 2	문법·어법의 기초
문법+쓰기	EGU 영단어&품사 / 문장 형식 / 동사 써먹기 / 문법 써먹기 / 구문 써먹기			서술형 기초 세우기와 문법 다지기
			올쏨 1 기본 문장 PATTERN	내신 서술형 기본 문장 학습
쓰기		거침없이 Writing LEVEL 1 / 2 / 3		중등 교과서 내신 기출 서술형
		개정 중학 영어 쓰작 1 / 2 / 3		중등 교과서 패턴 드릴 서술형
어휘	어휘끝 중학 필수편	중학 필수어휘 1000개	어휘끝 중학 마스터편	고난도 중학어휘 +고등기초 어휘 1000개
독해	Reading Relay Starter 1, 2 / Challenger 1, 2 / Master 1, 2			타교과 연계 배경 지식 독해
		READING Q Starter 1, 2 / Intermediate 1, 2 / Advanced 1, 2		예측/추론/요약 사고력 독해
독해전략			리딩 플랫폼 1 / 2 / 3	논픽션 지문 독해
독해유형			Reading 16 LEVEL 1 / 2 / 3	수능 유형 맛보기 + 내신 대비
			첫단추 BASIC 독해편 1 / 2	수능 유형 독해 입문
듣기	Listening Q 유형편 / 1 / 2 / 3			유형별 듣기 전략 및 실전 대비
		쎄듀 빠르게 중학영어듣기 모의고사 1 / 2 / 3		교육청 듣기평가 대비